LAS **300**
MEJORES
CANCIONES
VENEZOLANAS

editorial
PANAPO

LAS 300 MEJORES CANCIONES VENEZOLANAS

© 1999, Editorial Panapo. Caracas

1ª Edición
Reservados todos los derechos

ISBN: 980-230-565-0

Producción y diagramación: CMR Producciones Culturales

Investigación y redacción: María A. Valbuena

Impreso por Quebecor Impreandes
Impreso en Colombia - Printed in Colombia

Distribuye:

Editorial Panapo de Venezuela C.A.

Av. José Angel Lamas, Centro Industrial Palo Grande,
Edif. 1, Piso 1 (al lado del Hospital Militar)
Teléfonos: 462.36.31 - 462.98.47 - 462.94.57 - 462.13.41
461.90.62 - Fax: 461.44.23
Caracas - Venezuela

LAS 300

MEJORES

CANCIONES
VENEZOLANAS

PIÑA MUSICAL

Centro 482.63.43
CCCT 959.87.94
Sbna. Grande 763.50.17

Joropos

Adiós
Angel Briceño

Por si acaso yo no vuelvo,
me despido a la llanera,
despedirme no quisiera
porque no encuentro manera.
(Bis)

Si yo pudiera tener
alas para volar
como tengo un corazón
que sabe muy bien amar.
(Bis)

Cuántas veces yo quisiera
que estuvieras junto a mí,
pero no encuentro manera
de acercarme un poco a ti.
(Bis)

Mañana cuando partamos
un recuerdo te dejaré,
mis lágrimas en tus manitas
y de ti ¿qué me llevaré? (Bis)

Por si acaso yo no vuelvo...

Alma Llanera
Pedro Elías Gutiérrez

Yo nací en una ribera del
Arauca vibrador
soy hermano de la espuma,
soy hermano de la espuma,
de las garzas, de las rosas
y del sol, y del sol.

Me arrulló la viva diana de la
brisa en el palmar
y por eso tengo el alma como
el alma primorosa
y por eso tengo el alma, como
el alma primorosa
del cristal, del cristal.

Amo, lloro, canto, sueño
con claveles de pasión, con
claveles de pasión.
Amo, lloro, canto, sueño
para ornar las rubias crines
del potro de mi amador.

Yo nací en una ribera del
Arauca vibrador...

Amalia

L: Leoncio Martínez
M: F. de Paula Aguirre

Canta claro maraquero,
canta los amores míos
en la voz de los corríos
el joropo del llanero,
el joropo del llanero.

Alma, luz de mis canciones,
en mis notas se destaca
el reír de las maracas
y del arpa los bordones,
y del arpa los bordones.

Sufro tanto con mi mal,
de ternuras y de amor,
tengo el temple del puñal
y el trinar del ruiseñor.

Para cantar la chipola
mi mano temblando amarra
al cuello de mi guitarra
tres cintas en una sola.
Amarillo color de oro,
azul de la azul esfera
y rojo que reverbera
como la sangre del toro.

Digo con mi canto
lo que yo aprendí en la
escuela
bandera de Venezuela

por qué yo te quiero tanto.
(Bis)

Barquisimeto

Juan V. Torrealba y
Ernesto L. Rodríguez

Hoy daré para ti mi cantar
ante el embrujo larense
de tus mujeres;
otro azul nunca vi tan igual
como tu cielo
de lindos atardeceres. (Bis)

Barquisimeto,
la del alma cantarina,
la del cálido recuerdo
que me dio la despedida.

Barquisimeto,
la del cuatro y el corrío,
la del puro sentimiento
para quererte, amor mío.

Pueblo querido,
tu cielo jamás olvido
y el ritmo de mis capachos
cantando sueña contigo.

Barquisimeto,
la del cuatro y el corrío...

Curruchá
Juan B. Plaza

A mi negra la quiero, la
quiero
más que a la cotiza que llevo
en el pie.
A mi negra la quiero, la
quiero
más que a la tinaja cuando
tengo sed.

A mi negra la quiero, la
quiero
más que a mi chinchorro que
me hace soñar,
más que al penco alazán que
en el pueblo
mil lazos coleando me ha
hecho ganar.
Cuando baila mi negra el
joropo
mi alma zapatea por dentro de
mí,
al compás de puntera y tacón,
al compás de la quirpa sin fin,
con tal gracia mueve las
caderas
mi negra que me hace perder
la razón,
curruchá con tal gracia mueve
las caderas
mi negra que me hace perder
la razón.

Si a mi negra le clavo los ojos
se pone más roja que el
paraguatán
cuya flor es incendio del
bosque,
estación de abeja, licor de
panal.

Si me rozo con ella en el baile
me sube al cogollo un enorme
calor,
porque hornallas de ingenio
es mi negra
que vuelve cenizas mi leño de
amor.

Cuando baila mi negra el
joropo...

Estoy contento
Billo Frómeta

Hoy todo me parece más
bonito,
hoy canta más alegre el
ruiseñor,
hoy siento la canción del
arroyito
y siento cómo brilla más el
sol. (Bis)

Estoy contento, yo no sé qué
es lo que siento,
voy saltando como el río,

como el viento,
como el colibrí que besa la
flor por la mañana
como paraulata que deja su
canto en la sabana.

Estoy contento, yo no sé qué
es lo que siento,
voy saltando como el río,
como el viento;
me pongo a bailar, ni puedo
expresar
qué es lo que siento
que reviento con las ganas de
cantar.

Josefina
Lorenzo Herrera

Ay Josefina querida del alma
mía
tú eres la estrella que alumbra
todo mi ser,
sin tu cariño, mi vida, no sé
qué haría
porque te llevo prendida del
corazón.

Ay Josefina querida, tú eres
mi vida, mi cielo,
tú eres la estrella que alumbra
mi corazón.

Ay Josefina querida, tú eres la
imagen
que yo venero, mi vida,
después de Dios,
y yo le pido, querida, en mis
oraciones,
eterna dicha, mi vida, para los
dos.

La cocoroba
Luis Mariano Rivera

Oye caramba, la guabina puso
un baile
oye caramba, la cocoroba no
fue
oye caramba, porque no tenía
zapatos
tenía zapatos, ni camisón
tapapiés.

Oye caramba, porque no fue
cocoroba
oye caramba, la guabina se
enojó
oye caramba, peleando con su
guabino
con su guabino, todo el día lo
pasó.

Oye caramba, cuando
cocoroba supo
oye caramba, la braveza de
guabina

oye caramba, un taparo'e
chingüirito
'e chingüirito le mandó con la
vecina.

Oye caramba, la guabina lo
cogió
oye caramba, y devolvió a su
compadre
oye caramba, una ensartá de
cangrejos
y de cangrejos y una torta de
casabe.

Oye caramba, la mamá de
cocoroba
oye caramba, a su cachimbo
chupaba
oye caramba, y en la pata del
fogón
y del fogón, en su ture se
sentaba.

Oye caramba, cuando llegó el
cocoroba
oye caramba, y llegaba la
vecina
oye caramba, con la ensartá
de cangrejos
y de casabe que mandaba la
guabina.

La guachafita
Alberto Muñoz

Por el camino del cerro
sobre su potro marrón,
va pa' la fiesta del pueblo
el zambo Juan Canelón.
Con su cobija, su cuatro
y su cola 'e gallo,
y en la garganta la copla
de un galerón. (Bis)

Ay compadre, repita la
guarapita
que siga la guachafita
que viva el escobilleo.
Ojo'e garza, compadre,
no me enamore el ganao,
que tengo sangre maluca
y el cola 'e gallo afilao. (Bis)

La negrita Marisol
Conny Méndez

La negrita Marisol
tiene los ojos espantaos
y los dientes relucientes
y los labios coloraos.

La negrita Marisol
es un demonio que han soltao
tiene loco a todo el mundo,
el vecindario alborotao,
la negrita Marisol
ay, ay, ay, ay , ay.

La negrita Marisol
a veces está muy disgustada
porque los chicos del barrio
la tienen muy fastidiada.

La negrita Marisol
viste de blanco almidonao
y le gritan que si es mosca
que entre la leche se ha
ahogao.

La negrita Marisol
usa alpargata encapellada,
usa túnica y fustán
y más abajo no usa nada.

La negrita Marisol
hace conquistas a su modo,
si se inclina hacia adelante
la negra lo enseña todo.

La negrita Marisol ay, ay, ay ,
ay.

La perica

Rec: Vicente E. Sojo

Cuando la perica quiere
que el perico vaya a misa
se levanta muy temprano
a plancharle la camisa.

Ay mi perica dame las patas
para ponerte las alpargatas.

Cuando la perica quiere
que el perico la enamore
se coloca en la pechuga
un collar de cundeamores.

Ay mi perica...

Cuando la perica quiere
que la bese su perico
coquetona abre las alas
se adormece y abre el pico.

Ay mi perica...

La quirpa

Güiripa lo llaman quirpa,
óyelo bien, quirpa es joropo
llanero,
que lo tocan en el arpa
con maraca y guitarrero.

Quirpa nació en la sabana,
donde nacen los cantares
y como quirpa lo dijo
lo cantaron los palmares.

Hombre del alto apureño,
con alma y conversación
si yo tuviera su copla
óyelo bien, se lo cantaría al
bordón.

Apure llora en silencio
mientras el arpa se oía
porque en el llano se supo
óyelo bien, que la quirpa se
moriría.

Su nombre quedó en güiripa
su voz quedó en el palmar
su pensamiento en la brisa
y su copla en el cantar
yo no sé por qué en güiripa
no quieren a los llaneros
porque mataron a quirpa
e hirieron al guitarrero.

Mónica Pérez
Rec: Vicente E. Sojo

Señora Mónica Pérez
a mí me parece bien
que empatemos los amores
si es que lo consiente usted.

Sí, sí regalo, dame la mano:
tráigole amores,
si es que lo consiente usted.
(Bis)

Yo le traigo mis amores
si es que lo consiente usted.

No me diga más compadre
que el ahijado se murió;
empatemos los amores
que eso lo perdona Dios.

Señora Mónica Pérez
viene usted muy colorá
de coger los cundeamores
a la orilla'e la quebrá.

Ramoncito en Cimarrona
Pablo Canela y
José María Jiménez

Ramoncito en Cimarrona
zapateaba joropo
que tocaba Canela,
con el barro a las rodillas,
se enrollaba el pantalón
para bailar. (Bis)

Las muchachas en la sala
comentaban
y el taparo se alegraba
mientras más
le repicaban el tambor
y Canela
balanceando la cabeza
le tocaba con destreza,
contagiado de emoción. (Bis)

Tucacas
J. A. Sánchez Azopardo

Arriba, compae,
no se me duerma,
que vamos llegando
a Palmasola.

11

Ahí mismito
está Boca de Aroa
y después viene Tucacas
que es donde quiero llegar.

Y cuando llegue
a ese pueblo
es que vas a ver
lo que es sabroso, mi compae.
¡Como se goza,
con sus mujeres hermosas,
ese cielo y esa luna
brillando al amanecer!

Es que Tucacas es tan bella
que todo el que la conoce
nunca la puede olvidar.

candela
no deje, chica, que se
acerquen los ladrones.

Donde podamos bailar este
joropito
como se baila en todo el llano
apureño,
a punta'e soga, poco a poco y
trancadito,
oyendo el arpa del maestro
Figueredo.

Una casita bella para ti
Juan Briceño y
Germán Fleitas Beroes

Quiero comprar para ti una
casa bella
que tenga rosas y claveles al
entrar,
donde se cojan con la mano
las estrellas,
donde se duerma con el ruido
de la mar.

Donde el celaje de tu perra
centinela
pase la noche de la puerta a
los balcones,
con sus ladridos y sus ojos de

Pasajes

A Barquisimeto

Para esta tierra
llena de luz y cantar
hoy te daré, oh capital
musical
este manojo de versos
que es homenaje a la llanura
en ritmo de este pasaje.

Tierra larense
la del golpe tocuyano
tierra larense
manantial de inspiración,
que con razón de ser
barquisimetano,
que por tus calles
Venezuela habla cantando.

Barquisimeto,
qué lindas son tus mujeres,
qué bellos atardeceres
hay en ti, Barquisimeto.

Tus canciones son como el
palpitar
que llevan los corazones
¡Oh Capital Musical!

A usted

Reynaldo Armas

Usted me va a perdonar
si alguna vez le ofendí;
la flor cuando es vulnerable
no abandona su jardín. (Bis)

Usted incita con su forma de
mirar,
usted embriaga de pasión al
sonreír,
pero detrás de todo esto hay
amigos
y son las cosas que no puedo
permitir.

Es preferible morir
calladamente;
yo no soy de esos que les
gusta ver sufrir;
he mantenido limpiecita mi
conciencia,
que lo haga otro, yo me siento
bien así.

Usted me dirá incapaz;
nadie me enseñó a fingir;
es verdad, me gusta mucho,
valdría la pena mentir. (Bis)

13

Es natural que una dama muy
hermosa
conquiste un mundo
simplemente con reír,
pero no admito que
intervengan en las cosas
que son privadas y que han de
tener su fin.

Disculpe usted mi crítica
constructiva,
esa es su vida, no se preocupe
por mí;
yo he mantenido limpiecita
mi conciencia,
que lo haga otro, yo me siento
bien así.

Aguacerito llanero
Juan V. Torrealba

Aguacerito llanero
caído en el mes de abril (bis)
que le das a la sabana
esa belleza sin fin. (Bis)

Ya florecieron los lirios
y el estero marchito está,
la garza cual novia,
aguacero, aguacerito. (Bis)

Aquella noche
Juan V. Torrealba

Recuerda, mujer querida,
mujer querida,
que me juraste tu amor
y que te faltó valor,
faltó valor
para ser mi consentida.

Hoy recuerdo aquellos besos,
aquellos besos
que nos dimos junto al mar
y nunca podré olvidar
aquella noche
de gran derroche
entre las olas
y el cocotal,
bajo las luces
de las estrellas
eras tan bella
y tan sensual.
Y aquella boca
que fue tan loca
y a la que nunca
podré olvidar,
podré olvidar.

Barloventeño
Juan V. Torrealba

Barlovento tiene muchas
cosas bellas,
cosas bellas porque así lo

quiso Dios,
tiene encantadoras negras,
oye negra, tiene mina y el
tambor,
en su suelo tropical,
tropical ideal para el amor.

Yo no cambio en este mundo
a Barlovento, tierra preciosa
de Venezuela, la más
hermosa.

Es Barlovento de belleza sin
igual,
tiene cerro, tiene llano y tiene
mar.
Es Barlovento tierra preciosa
de Venezuela, la más
hermosa.

Bonita
Juan V. Torrealba

Recuerdo aquella noche
de concierto
en que te conocí,
momentos muy felices
tú me hiciste conocer
y fuiste para mí,
bonita como un amanecer
porque tienes la gracia divina
de ser así.

Tú tienes la belleza
de una luna tropical,
la roja cabellera
de un sol de atardecer
y la dulce mirada
de unos ojos verde mar
que dicen la ternura
que tienes para querer.

Yo sé que tú no puedes sentir
lo que yo estoy sintiendo por
ti;
ayúdame a vivir, corazón,
y a estar siempre muy cerca
de ti.

Yo sé que tú no puedes sentir
lo que yo estoy sintiendo por
ti;
ayúdame a vivir, corazón,
y seré muy feliz.

Caballo viejo
Simón Díaz

Cuando el amor llega así de
esta manera,
uno no se da ni cuenta,
el carutal reverdece y
guamachito florece
y la soga se revienta.

Caballo le dan sabana porque
está viejo y cansao,

pero no se dan ni cuenta que
un corazón amarrao
cuando le sueltan las riendas
es caballo desbocao.

Y si una potra alazana caballo
viejo se encuentra
el pecho se le desgrana y no
hace caso a falseta
y no le obedece al freno ni lo
paran falsas riendas.

Cuando el amor llega así de
esta manera
uno no tiene la culpa,
quererse no tiene horario ni
fecha en el calendario
cuando las ganas se juntan.

Caballo le dan sabana pues
tiene el tiempo contao
y se va por la mañana con su
pasito apurao
a verse con su potranca que lo
tiene embarbascao.

El potro da tiempo al tiempo
porque le sobra la edad,
caballo viejo no puede perder
la flor que le dan
porque después de esta vida
no hay otra oportunidad.

Caminito verde

L: G. Freitas
M: Juan Briceño

Lloraré cuando me acuerde
que te vi reverdecer. (Bis)

Adiós caminito verde,
adiós caminito verde
me voy para no volver.

Mañana busca en el cielo
los pétalos de mi voz, (Bis)
con las alas del pañuelo,
con las alas del pañuelo
te vengo a decir adiós.

Me llevo esta margarita
desecho de tu barranco,(Bis)
esta azucena marchita,
esta azucena marchita,
y este clavelito blanco.

Camino de la esperanza
Juan V. Torrealba

Buscando un lindo querer
que se fue un amanecer
por los campos del olvido
con mi caballo, cantando,
por la llanura voy.

Le pregunto al cristofué,
al moriche y al turpial,
a la brisa y al palmar
si la laguna solito me vio
pasar.
Que le pregunte al camino,
camino de la esperanza
si es que me ha visto llorar.

Caminando,
solito por el estero,
añorando lo que quiero,
cantando triste y corrío
a las orillas del río
cuando viene el aguacero.

Campesina (1)
Juan V. Torrealba

Campesina, campesina
ya viene la madrugada
se oye el bramar de las vacas
que duermen en la vacada.
Los gallos están cantando
muy cerca de la enramada.

Levántate, campesina
que viene la luz del día
ya cantó la guacharaca
a las orillas del río
y agua ya pidió el carrao
aunque se muera de frío.
Ah...

Campesina, campesina
se oye sonar la guarura
que viene por la espesura
cruzando montes y ríos.
Y ya se escucha el sonío
que anuncia la mañanita.

Levántate, campesina
anda a cruzar la sabana
que llegó ya la mañana
con su fragante frescura
y adorna con tu hermosura
la tierra venezolana.

Levántate, campesina.

Caraqueñita
Juan V. Torrealba

Bella caraqueñita
que pasas con tu sencillez,
fina la cintura
parece tallo de laurel.

Eres, caraqueñita,
la gloria de la capital,

por ti los claveles suspiran
desde Galipán.

Caraqueña, feliz cantando
vas,
floreciendo rumor de cielo y
mar.
Caraqueña, jagüey de mi
pasión,
yo te brindo amor de palma y
sol.

Muchacha gentil, angelical,
por ti nace la voz azul del
hondo mar,
muchacha, jagüey, sabana y
luz,
en ti palpita fiel amor de llano
y luz.

Carrao, carrao
José Ramírez

En la plena oscuridad,
en la noche de mi día
canta un carrao;
yo no sé por qué será,
pero lo noté cantando
más lamentado.

Sería que él adivinó
que mi amor con otro amor
se fue muy lejos.
Si las cosas son así,

carraíto, hazme un favor,
sé que eres bueno.

Carrao, carrao,
convida a tu compañero,
el gallito lagunero,
que lo salgan a buscar.
Díganle que ya no aguanto,
entre el dolor y el llanto
conmigo van a acabar.
Dímele que no hay rencor,
que le perdono su error,
que regrese a mi lugar.

Carrao, síguele la huella,
que mi llano taciturno
se enlutará.
No brillarán las estrellas
y la luna en plenilunio
no alumbrará.

Aunque tengo la esperanza,
es la última que muere,
de que regrese,
carrao, sigue sus andanzas,
pregúntale si me quiere
o me aborrece.

Carrao, carrao...

Desilusión
Juan V. Torrealba

Oye, cariño, cuándo me das
un consuelo,
ay, un consuelo que ya es
mucho padecer
por este amor que me juraste
un día,
ese día que ya nunca olvidaré.
(Bis)

Es un dolor que no puedo
resistir
es un dolor que no puedo
padecer,
siento en el alma una cruel
desilusión
por este amor que se fue con
mi querer.

Tú me quisiste, tú me
quisiste,
te lo pude comprender;
que yo te olvide,
que yo te olvide,
eso nunca podrá ser.

Es un dolor...

El beso que te di
Chucho Moreno y
Germán Fleitas B.

Ni las estrellas
que alumbran el mes de abril
tienen los finos
destellos de tu mirar
ni se pueden comparar
con tu rostro juvenil
los pétalos del rosal. (Bis)

No puedo vivir sin ti,
te juré quererte
con devoción,
te besé
y aquel beso que te di
se quedó
grabado en mi corazón. (Bis)

El gavilán
Ignacio Figueredo

En las barrancas de Apure
ay de Apure, suspiraba un
gavilán
y en el suspiro decía
muchachas de Camaguán.

Gavilán, pío pío; gavilán tao
tao
gavilán pico amarillo; gavilán
pico rosao.

Canoero del río Arauca,
del río Arauca, pásame pa' el
otro lao.
Canoero del río Arauca,
del río Arauca, pásame pa' el
otro lao
que me viene persiguiendo el
gavilán colorao.

Gavilán, pío pío...

Si el gavilán se comiera
ay se comiera como se come
el ganao
ya yo me hubiera comido el
gavilán colorao.

Gavilán, pío pío...

Este gavilán primito,
ay primito, pequeño y gran
volador
que se remonta en lo alto para
divisar la flor.

Gavilán, pío pío...

El guariqueño
Ernesto Luis Rodríguez

El Guárico es para todos, para
todos
la tierra del galerón (bis)
de las mujeres bonitas, ay,
bonitas
que endulzan el corazón.
(Bis)

De Tucupido a Zaraza, ay,
Zaraza
suspira el atardecer; (bis)
no hay pueblos como los
míos, como los míos,
para quien sepa querer.

Cuando salí de Altagracia
no quise decirle adiós (bis)
porque en su suelo reluce, ay,
reluce
toda la gracia de Dios. (Bis)

Camaguán en el estero, en el
estero,
Santa Rosa en el Palmar (bis)
y Calabozo en mis voces, ay,
en mis voces,
nunca los podré olvidar. (Bis)

Por eso es que guariqueño,
guariqueño
he sido, soy y seré, (bis)
desde el perfil del sombrero,
ay, del sombrero
hasta la punta del pie. (Bis)

Estero de Camaguán
Juan V. Torrealba

Noche de amor, en el estero
de Camaguán,
con el claror de una luna
tropical,
del canto de la llanura,
de la brisa del palmar. (Bis)

Noche feliz que yo soñé, que
yo pasé
viendo la luna con su serena
hermosura,
sus lindos ojazos negros
y su boca tan sensual. (Bis)

Se fue la luna, se ocultaron
los luceros,
ya del palmar no vienen sino
lamentos,
es la llanura que va llorando
en silencio
porque nos vamos, estero de
Camaguán. (Bis)

Fiesta en Elorza
Eneas Perdomo

Un 19 de marzo, un 19 de
marzo
para un baile me invitaron
a la población de Elorza
a la población de Elorza
en sus fiestas patronales.

Sus muchachas tan bonitas
con su belleza adornaban
y bajo el cielo llanero
se paseaban por las calles,
cotorritas de alegría
y perfume de sabana.

Y al despuntar la mañana
con aires de una parranda,
cantándole a las muchachas
en Elorza me encontraba
y entre palos de aguardiente
la vida feliz pasaba.

Y un lunes por la mañana
y un lunes por la mañana
principio de la semana,
se despidieron mis ojos
se despidieron mis ojos
de este lindo panorama.

Recordando con cariño
muchachas, pueblo y sabana,
llanero muere cantando
aunque esté pelando el alma,
soy nacido en el Apure,
cantor de la tierra llana.

Y mañana cuando muera
no me lloren , mis paisanos,
que me entierren en Arauca
a sombras de un matapalo
y que la espuma del río
traiga recuerdos lejanos.

21

Junto al jagüey
Juan V. Torrealba

Cantando con tu recuerdo
florece mi corazón;
la brisa mañanera
como yo te besa,
te besan las espigas
como yo, mi amor. (Bis)

Cuando no vienen
tus ojos hacia los míos,
la palma sola
se llena de soledad;
por eso quisiera,
mi dulce amada,
mirarme contigo
junto al palmar.

Cuando no vienen
tus besos hacia los míos
el agua sola se queda
sin tu querer;
por eso quisiera mi dulce
amada,
besarme contigo
junto al jagüey.

Eres la ternura para mi
canción,
por eso más te quiero yo.
Eres la ternura para mi
canción,
por eso más te quiero yo.

Linda Barinas
Eladio Tarife

Yo traigo un grito llanero
que me salió del "te quiero"
para cantarte, Barinas,
paisaje de ensoñación
que me ha regalado Dios
frente a las cumbres andinas.

Por eso cuando te canto,
por eso cuando te canto
bajo el olor del mastranto
y el perfume de tus flores,
y sé bien que en tus mujeres
tiene rosas y claveles
y el amor de mis amores.

Linda Barinas, tierra llanera,
camino de palma y sol,
cuando te pintan tan linda
siempre en las tardes
y se embellece el paisaje,
pinceles de un arrebol. (Bis)

Los caprichos de Carmen
Juan V. Torrealba

Por culpa de tus caprichos
paso la vida llorando,
por culpa de tus caprichos
paso la vida llorando
dime Carmen hasta cuándo

ay hasta cuándo me vas a
tener así
dime Carmen hasta cuándo
ay hasta cuándo me vas a
tener así
como un pobre colibrí,
como un pobre colibrí,
entre una jaula cantando.
Cómo quieres que te dé
un clavel para tu pelo,
para tu pecho un rosal
ay un rosal para tus ojos de
cielo,
si tú no me quieres dar
si tú no me quieres dar
para mi amor un consuelo.

Los caujaritos

Ignacio Figueredo

Si los suspiros volaran
como vuela el pensamiento
no serían tantas mis penas,
óyelo bien,
ni tan grandes mis tormentos.
(Bis)

Yo no canto porque sé
ni porque mi voz es buena,
canto para que no caigan,
óyelo bien,
las culpas sobre mis penas.
(Bis)

Triste canta la pavita
y triste canta el paují,
más triste me pongo yo, óyelo
bien,
cuando me acuerdo de ti.
(Bis)

Cuando estoy a solas lloro
y en conversación me río,
canto para distraer, ay
caujarito,
un poco los males míos.

Los garceros

Juan V. Torrealba y
G. Fleitas Beroes

Escucha, dulce amor mío
la música del palmar, (bis)
mira las garzas volar
sobre el espejo del río. (Bis)

Garcero de Chamizal,
garcero de Chamizal,
préstame tu señorío. (Bis)

De lo que estoy recordando
el alma se me conmueve,
(bis)
las garzas vienen llegando
con su vuelo triste y leve.
(Bis)

23

Los árboles van quedando,
los árboles van quedando
como cubiertos de nieve.
(Bis)

Mango verde
Juan V. Torrealba

Me conociste ayer
y hoy pretendes que te adore,
este amor te durará (bis)
lo que perfuman las flores,
mi mango verde,
lo que perfuman la flores.

Cómo quieres que te quiera
si te acabo'e conocer,
espera la primavera (bis)
para poderte querer,
en primavera
es que te puedo querer.

Es preciosa la mañana
y muy linda la alborada
pero en la noche serena (bis)
es que se quiere con alma,
mi mango verde,
es que se quiere con alma.

Ay, ay, ay, ay, yo no como
mango verde,
ay, ay, ay, ay, porque me pela
la boca,
yo lo como madurito (bis)

porque así es que me provoca,
ay, madurito
porque así es que me provoca.

María Laya
Ignacio Figueredo

Salí por el bajo Apure,
ay bajo Apure, en una
potranca baya,
tan sólo por conocer
ay conocer, a la india María
Laya. (Bis)

Me han dicho que es muy
bonita
muy bonita, que es rica y muy
hermosa,
y he deseado conocerla,
ay conocerla, a ver si la hacía
mi esposa. (Bis)

Yo había perdido la fe,
ay la fe, de que pudiera
encontrarla,
pero me dieron razón,
ay razón que la habían visto
en Achaguas. (Bis)

Si María Laya supiera,
ay supiera lo bueno que es el
amor,
ya a mí me hubiera entregado,
ay entregado, alma vida y
corazón.

Mi catira

Valentín Carucí y
Ramón Sanoja Medina

Me acuerdo cuando te tuve
entre mis brazos, catira,
y me parece mentira
lo tan feliz que vivía. (Bis)

Era todo una armonía,
era todo una armonía
cuando en tardes me
esperabas
y tu cariño me dabas,
y tu cariño me dabas
y yo cariño traía.

Quiero de nuevo, mi niña,
los luceros de tus ojos,
los que pusieron de hinojos
lo cimarrón de mi anhelo,
yo quiero que en tus desvelos
con tu dulzura fragante
me entregues a cada instante
el cundeamor de tu boca.

Porque sé que tú estás loca,
porque sé que tú estás loca
al recordar lo vivido
y por eso yo he venido,
y por eso yo he venido
a complacerte, preciosa.

Mi pasaje

L: G. Fleitas
M: Juan V. Torrealba

Sobre el potrillo alazán
cuántas veces en mi infancia
me topé con tu fragancia
estero de Camaguán,
donde la risa se pierde
en un eterno vagar

Y así como se me van
estos recuerdos lejanos
se van también de mi mano
estos versos sin valor
tolvanera y resplandor
de los caminos del llano.

Si bellezas tiene el mar
la sabana tiene más,
allá vuela el alcatraz
y el barco deja la estela
pero aquí la copla vuela
dejando el dolor atrás.

Mis cantares

L: L. Germán Fleitas B.
M: Anónima

La luna anoche traía
una cara muy risueña
pues de San Carlos venía
de ver a las cojedeñas. (Bis)

De Apure los horizontes,
de Barinas los palmares,
de Portuguesa los montes,
del Guárico los cantares. (Bis)

Aquí nació Pedro Pablo
y más allá Cupertino,
y en el Paso Arauca el Diablo
no pudo con florentino. (Bis)

Por la llanura infinita
florecen cantos llaneros
como las rosas marchitas
después de los aguaceros.
(Bis)

Mis penas
Luis Cruz Cordero

Senderito de los llanos
que conduce a la laguna, (bis)
quítame una por una,
quítame una por una
las penas que traigo yo. (Bis)

Lucerito, lucerito,
que en el agua te retratas,
(bis)
alúmbrame el alma mía,
alúmbrame el alma mía,
porque las penas me matan.
(Bis)

Me preguntas por qué canto,
si estoy sufriendo por ti, (bis)
aunque le roben el nido
siempre canta en la sabana
la paraulata feliz. (Bis)

Ya me voy de estos lugares
y si preguntan por mí, (bis)
por Dios, vida de mi alma,
por Dios, vida de mi alma,
nunca digas dónde fui. (bis)

Muchacha de ojazos negros
Juan V. Torrealba y
Germán Fleitas Beroes

Solamente dos favores
quisiera pedirle a Dios:
ser patrón de tus amores,
ser el eco de tu voz.

Muchacha de ojazos negros,
no puedo vivir sin ti:
escucha vida mía,
llevo una pena en el alma
que crece lentamente
desde el día en que te vi. (Bis)

Yo no quiero ilusiones
tan sólo en la vida,
yo quiero gozar un poquito
las mieles de la realidad.

Y después de volcar
mi cariño en el tuyo,
hacer como el ave que cruza
cantando por la inmensidad.

Muchacha de ojazos negros...

Muchachita sabanera
Juan V. Torrealba

Del horizonte a la palma
se oye un canto de cigarra
y el dolor de la guitarra
que me florece en el alma.
(Bis)

Prenda querida,
asómate a la ventana
para que cuentes mañana
cómo fue mi despedida. (Bis)
Las espigas van jugando
con el perfil de mi sombra,
tronchan por el mismo rumbo
caballo y luna redonda. (Bis)

Yo no te cambio,
muchachita sabanera,
ni por la luz de la luna
ni por todas las estrellas. (Bis)

Del horizonte a la palma...

Mujer guayanesa
Juan V. Torrealba y
G. Fleitas Beroes

Quisiera saber por qué,
saber por qué
la sabia naturaleza
le puso tanta hermosura
hermosura,
a la mujer guayanesa. (Bis)

Abrasa con la mirada,
cautiva con la belleza,
cautiva con la belleza;
es capacho cuando ríe,
rosal en flor cuando besa,
rosal en flor cuando besa.

Quisiera saber por qué,
saber por qué
la mujer de la Guayana
es guitarra donde vibra,
donde vibra
el alma venezolana. (Bis)

Que hasta las mismas
estrellas
envidian su señorío,
envidian su señorío.
Porque es más fragante y
bella
que el Orinoco bravío,
que el Orinoco bravío.

27

Negrita linda
Luis Cruz C.

La brisa mañanera
pintó de lindos colores
tus mejillas rosadas,
tus labios de cundeamores,
y en tus lindas ojeras
se apagaron mis antojos
con el sol maravilloso
que me robaron tus ojos. (Bis)

Negrita linda,
tú tienes en tus caderas
el ritmo sabroso y criollo
de una coplita llanera.
Y en tu boquita
hay algo que me enamora,
tus dientes, garcitas blancas,
y tus labios, corocoras. (Bis)

Noche de Porlamar
Juan V. Torrealba

Toda mi eterna vida recordaré
aquella linda noche de
Porlamar,
cuando de un amorcito me
enamoré
en las tibias arenas que baña
el mar.

Noche maravillosa,
rica y sensual

para el amor
fue aquella linda noche
de Porlamar. (Bis)

Las gaviota entonaban
la canción del cocotal,
a la luz de las estrellas
y una luna tropical.
En las chozas marineras
resonaban sin cesar
el chasquido de unos besos
y las cosa del palmar.

Noche maravillosa, rica y
sensual....

Pasaje del olvido
Simón Díaz M.

Si por quererte así, me das
olvido,
yo no podré olvidar, amor
querido. (Bis)

Por qué callar la voz de
aquellos besos;
por qué secar la flor de la
enramada;
por qué quitar dulzor a los
cerezos
y no brillar el sol en tu
mirada.

Vuelve, mi corazón, por los caminos
donde están los bucares
encendidos. (Bis)

Y volverás a oír cuando me besas
y florecer el lirio en la sabana
y encontrarás sabor en la cereza
y mirarás la luz de la mañana.

Primaveral
Juan V. Torrealba y
Germán Fleitas Beroes

Con el primer aguacero,
se puso lindo el rosal, (bis)
volvió la garza al estero,
volvió la copla al corral
y lucen sus trajes nuevos
la palma y el pajonal.

Amarra el caballo,
cántamele un tono
a la Cruz de Mayo. (Bis)

Con el primer aguacero
se puso lindo el rosal, (bis)
flores del patio llanero
coloca sobre el altar,
entre cintas y luceros
la muchacha tropical.

Amarra el caballo...

Rosa Angelina
Juan V. Torrealba

Las orquídeas son preciosas, mi vida,
el nardo y la clavellina,
pero nada como tú,
pero nada como tú,
catira Rosa Angelina.

Te comparo con el sol, mujer,
cuando el día viene rayando,
y también cuando la luna
allá lejos en el palmar
de noche se va ocultando.

Tus ojos son dos lagunas, mi cielo,
habitadas por garzones,
por eso vas por el mundo,
por eso vas por el mundo
reventando corazones.

Si el gran Dios me concediera, cariño,
una petición divina,
sólo a ti te pediría,
sólo a ti te pediría
catira Rosa Angelina.

Sabaneando
Juan V. Torrealba

Cuando salgo a sabanear
en mi caballito moro
voy recordando el cantar,
ay el cantar,
la prenda que más adoro.

Sabaneando, sabaneando,
distraigo los males míos
viendo las aves volar,
ay volar
a las orillas del río.

Pita un toro en el palmar,
la vaca llama al becerro,
y yo siento en mi cantar,
en mi cantar,
la brisa de los esteros.

Solo con las estrellas
Juan V. Torrealba

Horas de amor,
solitos por la llanura,
con tu calor,
tus besos y tu ternura,
me prometiste
que nunca me olvidarías,
que nuestro amor
ni el tiempo lo borraría.

Pero una noche me dijiste
muy feliz
ya no te quiero
ni puedo pensar en ti.
Y esa noche
sin motivo y sin razón
mataste toda ilusión
de aquellas horas tan bellas
que dejaron honda huella
en mi triste corazón.

Y me dejaste solito con las
estrellas,
pero una noche me dijiste
muy feliz
ya no te quiero
ni puedo pensa en ti.

Sueño azul
Juan V. Torrealba

Es un día feliz, hoy te vi pasar
con tu traje azul, del azul del
mar. (Bis)

Tu boca sentí, tus ojos miré,
sólo lloraré lo que ya perdí.
(Bis)

Y en la tarde gris, sin un cielo
azul,
te recordaré para ser feliz.
(Bis).

Tu boca sentí, tus ojos miré,
sólo lloraré lo que ya perdí.
(Bis)

porque recuerdo los ojos,
porque recuerdo los ojos
de un amor que yo tenía. (Bis)

Tardes de Apure
M. Alfredo Tenepe y
J. A. Guzmán

Cuando la tarde amorosa,
ay amorosa,
va perdiéndose en las nubes
(bis)
esta música llanera,
esta música llanera
me hace recordar mi Apure.
(Bis)

Bella flor de San Fernando,
de San Fernando,
la cuna de la llanura (bis)
yo la estuve sabaneando,
yo la estuve sabaneando
lleno de amor y ternura. (Bis)

Cerca te miro de lejos,
oye mi vida,
y se me nublan los ojos (bis)
tus lagunas son espejos,
tus lagunas son espejos
donde fluyen mis antojos.
(Bis)

Tu cielo de azul bonito,
de azul bonito
todo te lo robaría (bis)

Tierra negra
L: A. Custodio Loyola
M: Folklore

Adiós llanos del Oeste
matorrales y caminos,
no saben con qué dolor,
con qué dolor, de tu lado me
despido.

Ayer tarde estaba yo
cantando muy divertido,
recordando para mí
oye mi bien, aquellos llanos
queridos.

Cómo es posible olvidar
si el llano es florecido
con sabanas y palmares,
oye mi bien, con caballos y
novillos.

Todo aquel que es buen
llanero
al ver sabanas suspira,
se acuerda de su caballo,
de su caballo, de su potro y de
su silla.

Traigo polvo del camino

Augusto Braca

Yo vengo del Alto Apure,
atravesando llanura,
atravesando sabanas
vengo cantando un corrío.
Traigo polvo del camino,
traigo polvo del camino,
traigo la espuma del río.

Yo monté el mejor caballo
que ha nacido en el Apure,
aquel que siempre amarraba
debajo de un merecure.
Recuerdo pasé nadando,
recuerdo pasé nadando
con mi caballo el Apure.

Yo me detuve en Elorza
a orillas del río Arauca,
donde formamos la tiende,
donde se escuchaba el arpa,
donde pedían las muchachas,
donde pedían las muchachas,
canciones de Augusto Braca.

Ahora me encuentro cantando
en la ciudad de Caracas,
donde todo es maravilla,
donde todo es más bonito.

Pero le juro, mi hermano,
pero le juro hermanito,
no hay tierra como mi llano.

Tristeza llanera

Germán Fleitas Beroes y
Hurtado Rondón

Me voy, caminos del llano,
me voy, guitarra pueblera.
(Bis)
Dice mi voz y mi mano:
adiós, caballo y palmera.

Tortolita sabanera,
dime ¿por qué estás tan triste?
Será porque yo me voy,
será porque yo me voy
y a lo mejor lo supiste.

Noche que ya vas cayendo,
¿por qué me cambias el canto
de las aves por el llanto,
de las aves por el llanto
de los grillos sabaneros?

Y solamente me dejas
para amargar mi destino
un pobre aguaitacaminos,
un pobre aguaitacaminos
que entre las sombras se
queja.

De este bambú tan llorón,
¿quién aguanta los lamentos?

no llores mi corazón,
no llores mi corazón
que esas son cosas del viento.

Vestida de garza blanca
Pedro F. Sosa Caro

Vestida de garza blanca
la brisa de la mañana
trajo en el arpa viajera
para celebrar contigo
el día de tu cumpleaños
mi muchachita llanera.

Y como no te traje nada
más digno de tu belleza

que regalarte mi amor
para que vivas conmigo
en las alas del romance
muchachita de mi vida
te dejo mi inspiración.

Cómo es posible olvidarte
con un pena tan honda
que me está robando el alma
si cuando uno más quiere
si cuando uno más quiere
el destino lo separa.

Y como no te traje nada...

Tonadas

Arbolito sabanero
L: Alberto Arvelo
M: Simón Díaz

Arbolito sabanero
yo te vengo a preguntar,
preguntar,
si cuando ella se me fue,
arbolito,
tú me la viste pasar.

Abre sus sueños al raso
la soledad sin un grito
aspira el campo marchito

la dulce flor del ocaso,
tú, pesaroso en el paso,
puro arenal del estero,
soñando el aire mayero
cómo tendrás de congojas
que ya no te quedan ni hojas
arbolito sabanero.

Arbolito de hojas finas
nido de puras congojas,
como ya no tienes ni hojas
te besa el sol las espinas
madrinero sin madrinas
paso yo con mi cantar

33

y tú en tu grave callar
te quedas más seco y triste
arbolito tú la viste, tú me la
viste pasar.

Arbolito sabanero
yo te vengo a preguntar,
preguntar,
si cuando ella se me fue,
arbolito,
tú me la viste pasar.

El alcaraván
Simón Díaz

El perico en el conuco,
la totuma en el corral
y hasta el gallo carraspea
cuando pasa un animal. (Bis)

Allá en mi pueblo
cuando pasa un alcaraván,
se asustan las muchachas
por el beso del morichal.
El perro de la casa
se levanta y sale pa'llá,
pa'llá, pa' fuera
porque no le gusta pelear.

Que fuiste tú, que si yo,
que no, que si tú,
te vieron que llevabas
cafecito al morichal,
y que Pedro en los maizales
tus espigas reventaba.

Y esa noche la luna
se puso bonita, clarita,
que hasta Pedro se asusta
si pasa algún alcaraván.

El becerrito
Simón Díaz

La vaca Mariposa tuvo un
terné
un becerrito lindo como un
bebé,
dámelo papaíto dicen los
niños cuando lo ven nacer,
y ella lo esconde por los
mogotes que no se...
La vaca Mariposa tuvo un
terné
la sabana le ofrece reverdecer,
los arroyitos todos le llevan
flores por el amanecer,
y ella lo esconde por los
mogotes que no se...
La vaca Mariposa tuvo un
terné.
Y los pericos van, y el gavilán
también
con frutas criollas hasta el
caney para él
y Mariposa está que no sabe
qué hacer
porque ella sabe la suerte de
él.

El loco Juan Carabina

Aquiles Nazoa y
Simón Díaz

El loco Juan Carabina
pasa las noches andando
cuando la luna ilumina
las noches de San Fernando.

Cuando la noche está oscura
callado el loco se va;
va a perderse en la llanura,
nadie sabe a dónde irá.

Cuando el gallo de la una
se oye a lo lejos cantar
el loco, viendo la luna,
le dan ganas de llorar.

Esperando se la pasa
que como una novia fiel
venga la luna a la plaza
para conversar con él.

La gente del alto llano
más de una noche lunar,
con la luna de la mano
han visto al loco pasar.

El loco Juan Carabina
sueña por la madrugada
que en cama de niebla fina
tiene a la luna de almohada.

El loco Juan Carabina
pasa las noches llorando
si la luna no ilumina
las noches de San Fernando.

La paraulata

Juan V. Torrealba

La paraulata llanera,
la paraulata llanera
canta hasta la madrugá
y cuando canta en la tarde
ganas de llorar dan.

Yo tengo una paraulata,
yo tengo una paraulata
pero no sabe cantar.
Es esta vaca barrosa
a la que voy a ordeñar,
paraulata.

Ya viene saliendo el sol
a la orilla del palmar,
a la orilla del palmar
se oye el canto del perico
metido en el mastrantal;
los lamentos de un carrao
parado en el bozual
y una triste paraulata
que no me deja ordeñar.

Cuando los rayos del sol
iluminan los esteros,
iluminan los esteros

se ve caminá el ganao
que va rumbo al comedero,
parado el ordeñador
a la orilla del tranquero
y una triste paraulata
que canta sobre el uvero.

Madrugada llanera

L: G. Fleitas
M: Juan V. Torrealba

Ay, lai la rai, la ra la lai, lai la
rai la...

En la rama de un samán
los gallos buscan el día
y cruza la lejanía
un canto de alcaraván. (Bis)

La ra la lai, lai la rai la...

La luna se va ocultando,
la luna se va perdiendo
y un perro la va ladrando
y un perro la va siguiendo.
(Bis)

Dónde está mi yegua mora
y mi silla de montar,
mi sombrero, mis espuelas
y mi soga de enlazar.

La ra la lai, lai la rai la...

La copla del becerrero
cantándole a la vacada,
palpita en la madrugada
del botalón del tranquero.

Mi querencia

Simón Díaz

Lucero de la mañana
préstame tu claridad
para alumbrarle los pasos
a mi amante que se va.

Si pasas algún trabajo
lejos de mi soledad,
dile al lucero del alba
que te vuelva a regresar.

Si mi querencia es el monte
y mi pecho un cimarrón,
cómo no quieres que cante,
cómo no quieres que cante
como canta un corazón.

Si mi querencia es el monte
y mi flor de araguaney,
cómo no quieres que tenga,
cómo no quieres que tenga
tantas ganas de volver.

Si mi querencia es el monte
y una punta de ganao
cómo no quieres que sueñe,
cómo no quieres que sueñe,
con el sol de los venaos.

Sabana

José Salazar y
Simón Díaz

Sabana, sabana...
con tu brisa de mastranto,
tus espejos de laguna,
centinelas de palmeras
que se asoman con la luna.
Aquí me quedo contigo
aunque me vaya muy lejos,
como tórtola que vuela
y deja el nido en el suelo.

Se me aprieta el corazón
no ver más tu amanecer
ni el cimarrón ni la mata
ni la garza que levanta.
Con el cabestro te dejo
amarrados mis amores,
gota a gota, que te cuente
mis penas el tinajero.

Ya el arestín mañanero
no me mojará los ruedos,
ni el humo de leña verde
hará que mis ojos lloren.
Mañana cuando me vaya
te quedarás tan solita
como becerro sin madre,
como morichal sin agua.

Sabana, sabana...

Soledad del cabestrero

José A. de Córdoba

Solito...solito...solito

Sentado sobre el tranquero,
solito,
en esta inmensa llanura,
solito,
rumiando mi desventura,
íngrimo y solo, solito.

Mañanita del domingo
sin su compañía querida,(Bis)
en la misa de araguatos
le dieron la despedida. (Bis)

Arrebiatado en la negra
suavidad de tus crinejas (Bis)
cabestrero de tu afecto
y ordeñador de tristezas. (Bis)

Solito...solito...solito

La piedra de la tinaja
secó la gota en tu ausencia
(Bis)
y están aguando mis ojos
las chamizas del recuerdo.
(Bis)

El mastrantal no perfuma
y la copla sabe a rezo (Bis)
y el dulzor del manirito
sólo recuerda sus besos. (Bis)

Solito...solito...solito

Tonada del cabestrero
Simón Díaz

Camino del llano viene,
puntero en la soledad,
camino del llano viene,
puntero en la soledad,
el cabestrero cantando su
copla en la madrugá,
el cabestrero cantando su
copla en la madrugá.

Ahó... a... a... a...
El toro pica la vaca
y el novillo se retira,
como el novillo era toro,
la vaca siempre lo mira.
Lucerito, nube de agua.

La luna busca la sombra y no
la puede encontrá,
la luna busca la sombra y no
la puede encontrá
porque la sombra se esconde
detrás de la madrugá,
porque la sombra se esconde
detrás de la madrugá.

Ahó... a... a... a...
No llores más nube de agua,
silencia tanta amargura
que toda leche da queso

y toda pena se cura.
Lucerito, nube de agua.

Ya viene la mañanita cayendo
sobre el palmar,
ya viene la mañanita cayendo
sobre el palmar
y el cabestrero prosigue con
su doliente cantar,
y el cabestrero prosigue con
su doliente cantar.

Ahó... a... a... a...
Mañana cuando me vaya
quién se acordará de mi,
solamente la tinaja
por el agua que bebí.
Lucerito, nube de agua.

Tonada del pajarillo
Juan V. Torrealba

Ay... pobrecita paraulata
se está muriendo de amor,
pobrecita paraulata,
se está muriendo de amor,
dicen que muere en la mata
donde canta el ruiseñor.

Pajarillo, pajarillo,
te voy a pedir un favor,
consígueme en tu sabana
un potro caminador,
una novilla bonita
y un turpial cantador.

Ay... pajarillo, pajarillo,
voy a buscar un pintor;
pajarillo, pajarillo,
voy a buscar un pintor
ay...

Venezuela habla cantando
Conny Méndez

Por los caminos de Aragua
a las cuatro'e la mañana
se oye una punta de ganao
que viene de la sabana.
El puntero encapotao
cantando la va llevando,
porque hasta el buey se lo entiende
si se lo dice cantando. (Bis)

Se oye cantar un gallito
en el corral de la vecina
y ya saben los que duermen
que la aurora se aproxima.
El chorrito de la pila
goteando está joropeando,
¡que bonito que en mi tierra
amanece ya cantando! (Bis)

La lavandera en el río,
y el jardinero regando,
el albañil en su andamio,
todos cantan trabajando.
Los muchachos de mi pueblo
todo el día andan silbando,
ya por el mundo se dice:
Venezuela habla cantando.
(Bis)

Al que nace en Venezuela
ya lo vamos preparando,
al decir venezolano
ya lo dice uno cantando.
El secreto compañeros
es algo muy personal:
que arrullamos a los niños
con el Himno Nacional. (Bis)

Golpes

Alma cumanesa
José A. López

En Cumaná se canta la
malagueña,
en Manzanares la copla y el
galerón
y el estribillo como el que yo
estoy cantando
zumba que zumba es cumanés
de corazón.

En esta tierra donde reina la
alegría,
con sus mujeres tan bonitas
cual la flor,
me traen recuerdos las coplas
y las fulías,
el mare-mare, el golpe y el
galerón.

Pongan cuidado cuando
vayan a mi tierra,
oigan señores si gusto se
quieren dar,
allá en Oriente el que más da
y el que menos,
desde que nace sabe tocar y
cantar.

Come las ostras que se dan en
los manglares,
el chipi-chipi en la playa de
San Luis,
los camarones que se dan en
Manzanares
son un orgullo con que cuenta
mi país.

Amalia Rosa
Tino Carrasco

De Maracaibo salieron
dos palomitas volando
a La Guaira volverán
a La Guaira volverán
pero a Maracaibo ¿cuándo?
(Bis)

María me dio una cinta
y Rosa me la quitó,
Amalia peleó con ella
porque Juana, porque Juana
se enojó. (Bis)

Ya se juntaron las cuatro
que son las que quiero yo.
Amalia, Amalia, Amalia
Amalia, Amalia Rosa
esa es la que yo me llevo

esa es la que yo me llevo
por ser la más buena moza.
(Bis)

Toma niña este puñal,
ábreme por un costao
pa' que veas mi corazón
pa' que veas mi corazón
con el tuyo retratao. (Bis)

El cigarrón
Juan V. Torrealba y
Germán Fleitas Beroes

Oye bien lo que te digo,
no te vayas, corazón,
que quiero bailar contigo
el golpe del cigarrón.

Camina, tú, camina de medio
lao,
dándole así
dos veces de aquí pa'llá. (Bis)

Qué sabrosón,
tres veces de allá pa'cá
el cigarrón
es un golpe cintureao. (Bis)

Las muchachas de la esquina
cuando limpian el fogón,
bailan hasta en la cocina
el golpe del cigarrón.

Camina, tú...

El sapo
Alejandro Vargas

La sapa estaba pariendo
y el sapo estaba mirando
cuando la sapa pujaba
el sapo se iba esponjando.

¡Sapo! vete de aquí
¡Sapo! ponte pa' allá.
La sapa vino pariendo
muy cerca del castillito
y a la media hora tenía
más de quinientos sapitos.

La sapa vino pariendo
a punta'e la madrugá
y los sapitos contentos
se pusieron a bailar.

¡Sapo! vete de aquí...

La sapa vino pariendo
cerca'e la cruz del perdón
y el sapo lo celebraba
con su botella de ron.

¡Sapo! vete de aquí...

El totumo de Guarenas

Benito Canónico

Cuando canto este totumo
yo no sé lo que me da,
que me pone en condición
de tocá, cantá y bailá. (Bis)

Qué totumo tan sabroso
el que van a escuchar,
que cuando suena en Guarenas
provoca zapatear. (Bis)

Sí señor, ya lo van a escuchar,
sí señor, lo van a escobillar;
sí señor, lo van a zapatear,
sí señor, lo van a bailar;
sí señor, el totumo sabroso
señores, que van a zapatear.

Este golpe tan sabroso
tiene la esencia'el tuyero
que cuando suena en Guarenas
entusiasma al mundo entero.

Qué totumo tan sabroso...

El que lo toca y lo canta
lo canta con gran esmero,
porque sabe que lo llaman
el totumo guarenero.

Qué totumo tan sabroso...

El zumba que zumba

Zumba que zumba que en
Caracas estaba yo
zumba que zumba cuando
reventó el cañón.
Zumba que zumba que palo
que no florea
zumba que zumba no le pica
cigarrón
que palo que no florea no le
pica el cigarrón.

Zumba que zumba cuando yo
estaba en prisión
zumba que zumba con lo que
me divertía
zumba que zumba sólo
poniendo mi nombre
zumba que zumba en los
ladrillos que había
sólo poniendo mi nombre en
los ladrillos que había.

Zumba que zumba mírale el
ojo a la mona
zumba que zumba cómo le
relampaguea
zumba que zumba no he visto
cosa más fea
zumba que zumba que una
negra en dormilona
no he visto cosa más fea que
una negra en dormilona.

Zumba que zumba yo no soy
de los corianos
zumba que zumba que
demuestran cobardía
zumba que zumba porque con
la ciencia mía
zumba que zumba yo me fajo
mano a mano
porque con la ciencia mía yo
me fajo mano a mano.

Zumba que zumba el que la
hace la paga
zumba que zumba o si no,
muere atorao
zumba que zumba porque
tengo más corroncha
zumba que zumba que
espinazo de pescao
porque tengo más corroncha
que espinazo de pescao.

Zumba que zumba no es
joropo ni merengue
zumba que zumba vals o polo
o galerón
zumba que zumba nació
cuando la conquista
y es una mezcla del indio y el
español.
Es sangre de nuestra sangre,
por eso lo canto yo.
Es sangre de nuestra sangre,
por eso lo canto yo.

Golpe tocuyano
Tino Carrasco

Ah, mundo Barquisimeto,
dijo un barquisimetano. (Bis)
Yo digo ah, mundo al
Tocuyo,
porque yo soy tocuyano.

Regálame un beso
morena del alma. (tres veces)
Adiós porque ya me voy
quizás no vuelva mañana.
(Bis)

Se me reventó la prima
se me reventó el bordón (bis)
no se le reviente el ojo
a tanto diablo mirón. (Bis)

La botellita
Folklore

Comadrita la rana;
Señor, señor.
¿Llegó su marido?
Sí señor.
¿Y qué le trajo?
Un ropón.
¿De qué color?
Verde limón.
Vamos a misa.
No tengo camisa.
Vamos al sermón.

No tengo ropón.
¿Y la botellita?
No tiene tapita.
¿Y el botellón?
No tiene tapón.
Quítale, quítale, quítale
quítale, quítale y pon
pon pon
no tiene tapón.

¡Comadrita qué le cuento!
¡Compadrito qué pasó!
La laguna está de fiesta,
la chicharra lo anunció.

El sapito le regala
a la rana un camisón,
una blusa colorada,
un collar y un prendedor.

Para misa va el sapito
con su flux verde limón;
lo acompañan la chulinga,
el turpial y el ruiseñor.

El sapito toca el cuatro,
la ranita el guitarrón.
El sapito canta un polo
y la rana un galerón.

La chaparrita
Folklore

Cántame la chaparrita
como la cantaste ayer
para cuando yo me case
chaparrear a mi mujer.
Chaparrita de mi vida, sí
chaparrita de mi vida, no.
Cuando estemos en la
chaparrita
Rita de mi corazón
yo te quiero negra
con todo mi amor
tú me correspondes
con el corazón.
De colorao se viste el
cardenal
y por eso le digo a mi morena
que se peine el copete pa'
bailá.
Chaparrita de mi vida, sí
chaparrita de mi vida, no
y ese pañuelito blanco
con ese ramo de flores
no me lo pases delante.

La morenita
Folklore

Vengo a cantar este golpe
que un amigo me mandó (Bis)
pa' que mañana o pasao
hagan lo que mande yo. (Bis)

Porque soy morenita
yo me voy a los bailes, (Bis)
a robar corazones
que me manda mi padre,
que me manda y me manda
que me manda mi padre.
Los ojos de mi morena
no son negros, son azules
que se parecen al cielo
cuando se apartan las nubes.

Yo no sé si así sería
yo no sé si así será (Bis)
que el tigre marca la huella
antes de dar la pisá. (Bis)

Porque soy morenita...

Al gusto le gusta el gusto,
y al gusto le gusto yo,
y al que no le guste el gusto,
tampoco le gusto yo.

La negra de Candelario
Juan V. Torrealba y
Ernesto L. Rodríguez

Sonando su camisón,
la negra de Candelario
retoza en el vecindario
con furia de ventarrón. (Bis)

De modo muy singular,
sabroso que joropea,

igual a como ventea
la brisa en el chaparral. (Bis)

Bailando, bailando va
la negra de Candelario
y el hijo del comisario
se cansa de suspirar. (Bis)

Palpita en el galerón
y dice medio coqueta:
agarra, mi amor, aprieta
que así se baila mejor. (Bis)

Negrita de Barlovento
Luis Cruz

Qué tienes en la cintura,
qué es lo que llevas por
dentro,
negrita de Barlovento
que bailas con sabrosura.
Se nota en el tongoneo,
el ritmo y el bamboleo
cuando empiezas a bailar.

Es que tú llevas en tu cuerpo
la emoción
y la pimienta de tu cálida
región,
es que te quiero, negrita,
de caramelo y anís
y Dios te puso la gracia
de los que nacen aquí,
es que te quiero, negrita,

de caramelo y anís
y Dios te puso la gracia
de los que nacen aquí,
por eso cuando bailo junto a
ti,
mi negrita, me siento feliz.

Polos

El marino
Dámaso y Pascual García

Cuentan que un día un
marinero
se fue a la playa y no volvió
más.
Se fue cantando en su velero,
su copla triste quedó en el
mar.

La historia dice que no lo
vieron
cuando en lo inmenso del mar
se hundió.
Sólo se sabe que salió un día
y que a la playa no regresó.

Todos suponen que en su
agonía
¡Virgen del Valle! él exclamó
cuando la furia del mar
profundo
de su velero lo arrebató.

Pobre destino del marinero
dejó el recuerdo de su cantar.
Ya no se escucha su copla
triste
que al despedirse solía
entonar.

Su pobre madre llora en
silencio
por aquel hijo que no volvió;
las olas cantan su polo triste,
la malagueña y el galerón.

Polo margariteño (1)
Folklore

El cantar tiene sentido,
el cantar tiene sentido
entendimiento y razón (bis)
la buena pronunciación,
la buena pronunciación
y el instrumento al oído. (Bis)

La noche se enamora más que
el día
pero mi corazón nunca se
sacia,
ensalzar la inefable poesía
y encarecer la inmensa
aristocracia. (Bis)

Allá afuera viene un barco
y en él viene mi amor (bis)
se viene peinando un crespo,
se viene peinando un crespo
al pie del palo mayor. (Bis)

Ese cadáver que por la playa
rueda
ese cadáver ¿de quién será?
ese cadáver, bueno,
será de algún marino
que hizo su tumba en el fondo
del mar.

Polo margariteño (2)
Folklore

Margarita es una isla,
perla del Caribe mar.
Margarita se merece,
Margarita se merece
una corona imperial.

Dices que te vas mañana,
vete con Dios, amor mío
con tal no bebas el agua,

con tal no bebas el agua
de la fuente del olvido.

La garza prisionera no canta
cual solía
canta en el espacio y en el
dormido mar,
su canto entre cadenas es
canto de agonía
por qué se empeña, pues
señor, su canto prolongar.

Polo margariteño (3)
Folklore

La concha dice en el mar:
yo mantengo una riqueza;
una prenda de belleza
con un brillo natural.
Yo valgo más que el coral,
que el diamante y que el rubí,
yo no me cambio por ti
pues yo valgo donde quiera
y en regiones extranjeras
todos me aprecian a mí.

Dicen que hubo, no hubo
nada,
me voy p'al chopo de
madrugada,
de madrugada me voy p'al
chopo
porque el guayabo me vuelve
loco.

47

Usted, usted, usted lo mandó
a poner,
que si la pone la paga
y si no la pone también. (Bis)

La pata'e cabra se queja
y también el caracol,
pa' nosotros no hay dolor,
esto lo dice la almeja,
también la papa a la reina
cuenta su historia pasada.
Qué vida más desgraciada
echarnos Dios en el mundo,
en estos mares profundos
donde no valemos nada.

Mis tres hermanos queridos
se los llevó la corriente,
dice un niño tristemente,
qué caso tan dolorido.
Marchamos todos unidos
a bañarnos sin temor,
vino el río con su furor
se los llevó muy ligero,
cuando desaparecieron
cuál no sería mi dolor.

Polo viajero

Dámaso Rodríguez

Este cantar lo traigo de
Margarita,
de aquella tierra bendita
donde nació el Mariscal.

Quiero llevarlo por toda mi
Venezuela
y pasar por la frontera
con este polo oriental.

De allí seguir por la América
Latina
y llegarme a la Argentina,
el Perú y al Uruguay.

Desde Colombia seguir hacia
Puerto Rico
y pasar un momentico
por México y Panamá.

Para llevarle a nuestros
pueblos hermanos
el sentir venezolano
y un abrazo fraternal.

Les llevaré de la llanura
infinita
la fragancia de la brisa
y el canto del turpial

De Maracaibo les llevaré una
Chinita
y el relampaguear aprisa
del Catatumbo sin par.

Voy a llevarle de la región de
Guayana
una sarta de zapoaras
y un diamante sin tallar.

Con la nota que tiene el alma
llanera,
les brindaré Venezuela
abierta de par en par. (Bis)

Danzas

Cerecita
Luis M. Rivera

Cerecita de mi monte,
frutica sabrosa y pura (Bis)
acidito de mi cielo
y de mi tierra, dulzura. (Bis)

Cerecita de mi monte,
silvestre frutica mía,
eres juguito de amor
en corazón de alegría. (Bis)

Eres campo de ilusión
donde adornan tus colores
(Bis)
y el verdor de tu ramita
donde cuajaron tus flores.
(Bis)

A pesar de que eres buena
y de sabor exquisito
nadie siembra tu semilla,
nadie riega tu arbolito. (Bis)

Ceveruco a ti te llaman
en las tierras de occidente,
(Bis)
cerecita te llamamos
en nuestra tierra de oriente.
(Bis)

Chinita de Maracaibo
Chelique Sarabia

Chinita de Maracaibo,
chinita, Virgen divina, (Bis)
Virgen de Chiquinquirá
que nos alumbra el camino.
(Bis)

El Lago te dio su voz,
rumor de oleaje tranquilo,
(Bis)
el Catatumbo su luz
con resplandores divinos.
(Bis)

El corazón marabino
te lleva siempre muy dentro,
(Bis)

junto con sus alegrías
y a veces los sufrimientos.
(Bis)

Virgencita, por amor
no te olvides de tu gente (Bis)
porque en cada corazón,
chinita, tú estás presente.
(Bis)

Danza oriental

Rafael Montaño y
Ramón Sanoja Medina

Llanera de mis reproches
garcita de mis esteros,
aunque no salgan luceros
tus ojos pueblan la noche.
Tu pelo juega en el aire,
tu voz despierta mañanas
y tu piel fina y lozana
como una rosa morena
mitiga todas mis penas
y hace jardín la sabana,
mitiga todas mis penas
y hace jardín la sabana.

Tu camisón de cayena
es una flor de galera,
la brisa tan rochelera
queriendo mostrar su alarde,
pinta de rojo la tarde
al enseñar tu cadera.
Plumón de luto en el llano

como la garza morena,
como la piel de canela
así es la piel de tus manos,
como la piel de canela
así es la piel de tus manos.

Dorado al sol de verano
tu cuerpo cruje en la trota
y de la blusa te brota
frutas maduras al viento, (Bis)
como dos pesguas en tiempo
cuando la brisa la sopla,
como dos pesguas en tiempo
cuando la brisa la sopla.

El andinito

Gilberto Mejías Palazzi

Alegre por el sendero
va el andinito,
su mundo es la cordillera
donde nació,
magüelles, piñas y flores
le dio su suelo,
en sus paisajes un lugar de
amor.

Se cruza por el sendero los
frailejones
que visten a la montaña
con su color,
y la brisa mañanera
le va dejando,
un cantar de amores
para su región.

El cocotero
Armando Molero

Una piedra tiré a un cocotero,
tero, tero,
una piedra tiré a un cocotero
y enseguida un coquito cayó.

Yo no sé qué pasó por mi
alma
que al beberme esa agua tan
dulce
mi sed se apagó, mi sed se
apagó.

Coco, loco,
aplacando esta sed que me
abrasa,
coco, loco,
qué buen rato contigo se pasa
coco, loco,
yo contigo me hiciera un tolú,
ay coquito, coquito, coquito,
no hay nada en el mundo
más dulce que tú. (Bis)

La reina
Amable Torres

¡Oh reina hermosa
del jardín de mis quimeras
si me quisieras,
serías mi amor!
¡Oh, perfumada flor

maracaibera!
iluminada por la luz
de nuestro amor.

Pero si tú te vas
desangrarás mi corazón
y si no vuelves más
destrozarás una ilusión.
Pero si vuelves un día
a mis praderas
¡oh perfumada flor
maracaibera!
encontrarás en el crisol
de mi pasión
todas las ternuras
que te da mi corazón.

Maracaibera
Rafael Rincón

Ay amor, ay por ti
lo mucho que estoy sufriendo
yo,
lo mucho que estoy sufriendo
así,
tú serás, dulce bien,
estrella refulgente
la única dueña de mi existir.

Cuando pasas caminando
tu cuerpo mueves como
palmera,
la brisa pasa arrullando
moviendo alegre tu cabellera,

tu mirada electrizante
y el ritmo suave de tus
caderas
me tienen siempre soñando,
mi linda reina maracaibera.

Maracaibo en la noche
Jesús Reyes

Maracaibo en la noche,
desde lo lejos,
más hermoso te ves,
más atrayente,
con tu gran Catatumbo
y tus reflejos
de cuando en vez besando
tu casta frente. (Bis)

Maracaibo en la noche,
el que te vea
por aire, tierra o mar,
bien se recrea.
Para finalizar
repito estas palabras:
¡El Zulia por las noches
relampaguea! (Bis)

Novia del lago
Gilberto Mejías Palazzi

Cuando la estrella novia del
lago
deja su estela por la mañana,
la risa tiene sabor de besos

que el agua busca al
amanecer,
para llevarlos en sus
corrientes
que van cruzando por
occidente
dejando en esas tierras
guajiras
sueños de amor,
y así en la arena de cada playa
va renaciendo el alma zuliana
que es un reflejo del
Catatumbo
hecho canción.

Si esta noche estoy junto a mi
bien,
tú serás como aquella estrella
que le dio el color aquel lago
azul
una noche junto a la arena
porque la ilusión navegando
irá
con los besos de la esperanza,
para llevarlos en sus
corrientes
que van cruzando por
occidente,
dejando en esas tierras
guajiras
sueños de amor,
y así en la arena de cada playa
va renaciendo el alma zuliana
que es un reflejo del
Catatumbo
hecho canción.

Por el caminito
Gilberto Mejías Palazzi

Mira, cómo van pasando,
cómo van cantando por el
caminito,
mira, todos van alegres,
todos van riendo por el
caminito.

Todos llevan en el alma
la inmensa alegría, cantan al
amor,
y en sus caritas bonitas
se dibujan sueños de
felicidad.

Mira, cómo van sonando
los lindos tilines de las
campanitas,
oye, cómo todos cantan,
cómo todos ríen en la
mañanita.

Por el caminito alegre que
baja hasta el pueblo
cantan al pasar
y en sus caritas bonitas
se dibujan sueños de
felicidad.

Las aguas cristalinas
que van naciendo del arroyito
corren y corren por la
montaña,
llevando aroma de manantial.
(Bis)

Gaitas

La cabra mocha

Un día la cabra mocha
se le escapó a Josefita
y vino a arreglar sus cuitas
con el gran chivo de Arocha.

Ahí viene la cabra mocha
de Josefita Camacho

que es mocha de los dos
cachos,
del rabo y de las orejas
y es por eso que no deja
que la agarren los muchachos.

Que viva la tradición
de la gaita maracucha
porque con gran emoción
es la que el país escucha.

Ahí viene la cabra mocha...

La gaita maracaibera
es un canto popular
que se canta donde quiera
porque no tiene rival.

Ahí viene la cabra mocha...

Navidad debiera ser
cada vez que hubiera luna
y tener una laguna
de aguardiente pa' beber.

Ahí viene la cabra mocha...

Se ponían a apostar
los muchachos una locha
a quién pudiera agarrar
primero a la cabra mocha.

Ahí viene la cabra mocha...

A Josefita Camacho
la cabra se le murió
y la pobre la lloró
como si fuera un muchacho.

Ahí viene la cabra mocha...

La cabra mocha salía
con Josefita a comer
pero ella la escondía,
no se la fueran a ver.

Ahí viene la cabra mocha...

Me da desesperación
de oirle decir a mama
que con la colcha'e la cama
me va a hacer un pantalón.

Ahí viene la cabra mocha...

Y que te vais a casar
con la hija'e la pelona
¡Jesús! que buena persona
la joven con quien te amáis.

La grey zuliana
Ricardo Aguirre

En todo tiempo cuando a la
calle sales, mi reina,
tu pueblo amado te ha
confundido en un solo amor,
amor inmenso, glorioso,
excelso, sublime y tierno,
amor celeste divinizado hacia
tu bondad.

Madre mía, si el gobierno
no ayuda al pueblo zuliano,
tendréis que meter la mano
y mandarlo pa'l infierno.
(Bis)

La grey zuliana cual rosario
popular

de rodillas va a implorar a su
patrona,
y una montaña de oraciones
quiere dar
esta gaita magistral que el
saladillo la entona. (Bis)

Tu pueblo te pide ahora
madre mía, lo ayudéis
y que fortuna le deis,
con mucho amor te lo
implora. (Bis)

La grey zuliana...

Acabaron con la plata
y se echaron a reír,
pero les puede salir
el tiro por la culata. (Bis)

La grey zuliana...

Maracaibo ha dando tanto
que debiera de tener
carreteras a granel
con morocotas de canto. (Bis)

La grey zuliana...

Marinero
Chelique Sarabia

Se soltaron las amarras
del bote en la madrugada

y entonces la marejada
se lo llevó mar adentro
junto con el pensamiento
del pescador que anhelaba.
Marinero, marinero
se soltaron las amarras
marinero, marinero,
del bote en la madrugada.
Igual soltaré mis penas
en una noche de frío
y dejaré al amor mío
que se vaya donde quiera
y si es que algún día regresa
la buscaré por la arena
y si es que algún día regresa
mi bote junto a mis penas.
La vanidad me consume,
no sé si vuelva algún día
y sobre la arena fría
encuentre restos de un bote
que naufragó por la noche
junto con las penas mías.
Marinero, marinero
no sé si vuelva algún día
a navegar con el viento.

Paraguaipoa
Saúl Sulbarán

Paraguaipoa en Tumar,
aire puro se respira,
pedazo de mi goajira,
mi rinconcito natal. (Bis)

Paraguaipoa, región zuliana,
tierra galana de gran primor,
rinconcito ensoñador
de mi patria soberana. (Bis)

La chicha maya con gana
el goajiro baila bien
pero le gusta también
bailar la gaita zuliana. (Bis)

Paraguaipoa, región zuliana...

Quisiera tener ahorita
una rápida canoa
para llevarme a Sarita
de aquí, de Paraguaipoa. (Bis)

Paraguaipoa, región zuliana...

Nos vinimos de Peguana
para que sepan muy bien
que los goajiros también
cantamos gaita zuliana. (Bis)

Sentir zuliano

L: Nolberto Pirela
M: José Chiquinquirá

Cuando voy a Maracaibo
y empiezo a pasar el puente,
siento una emoción tan grande
que se me nubla la mente.

Siento un nudo en la garganta
y el corazón se me salta,
y sin darme cuenta tiemblo
y sin querer estoy llorando.

La Chinita y Papá Dios
andan por el Saladillo
paseando bajo su sol
que les da todo su brillo.

Es la tierra del zuliano
un paraíso pequeño
donde todos son hermanos,
desde el guajiro al costeño.

Yo no soy regionalista
pero a mi Zulia lo quiero
porque sé que es el primero
de Venezuela en la lista.

Tierra marabina

Gilberto Mejías Palazzi

Hoy que te estoy recordando,
tierra linda marabina,
para siempre entre mis sueños
una luz que me ilumina.

Y es que evoco con mi canto
el lago con sus palmeras
y la verde enredadera
que nace en patio zuliano.

Por eso no hay quien se
muera
con una gaita, mi hermano;
por eso no hay quien se
muera
con una gaita, mi hermano.

Una gaita
Luis Oquendo Delgado

Una gaita es un canto
parrandero,
es himno expresión del
pueblo
zuliano por su sentir.
Una gaita es canción, es
poesía,
es la flor de la alegría
que hace al alma más gentil.

Una gaita es para mí
una amiga y compañera,
cuando voy por donde quiera
y si estoy lejos, mejor,
pues dentro de ese dolor
de ausencia, en esos
momentos,
entonces es cuando la siento
más dentro del corazón. (Bis)

Cuando yo canto una gaita
me olvido hasta del dolor,
pues su música me arrastra
a la ley de la emoción. (Bis)

Una gaita es para mí...

Una gaita es cual la aurora
que alborea musical
y se funde con las olas
de mi Lago de cristal. (Bis)

Una gaita es para mí...

Una gaita por el mundo
es un mensaje de amor
y el rayo del Catatumbo
le da luz con su fulgor.

Una gaita es medicina
para el alma tropical
y por eso, cantarina,
bambolea en el palmar.

Una gaita es para mí...

Aguinaldos y villancicos

A adorar al Niño
L. F. Ramón y Rivera

A adorar al Niño
corramos, pastores,
que está en el portal,
llevémosle flores.

Una palomita
anunció a María
que en su seno santo
El encarnaría.

Adoro el misterio
de la Trinidad
que son tres personas
y es un Dios no más.

A ti te cantamos

A ti te cantamos
preciosa María,
y de ti esperamos
paz y alegría.

Tú la flor más pura
del vergel del cielo,
eres la esperanza,
eres el consuelo.

A ti te cantamos...

A ti, gran Señora,
a ti suspiramos,
Madre del Dios Niño
a quien tanto amamos.

A ti te cantamos...

No nos desampares,
divina Señora;
sé nuestro consuelo
en cualquier hora.

A ti te cantamos...

Lumbrera del mundo,
cándida María,
en la vida triste
nuestros pasos guía.

Cantemos
Rec: Vicente E. Sojo

Cantemos, cantemos
gloria al Salvador.
Feliz Nochebuena,
feliz Nochebuena,
feliz Nochebuena
nos dé el Niño Dios.

Tú eres la esperanza,
tú la caridad,
tú eres el consuelo
de la humanidad.

Cantemos, cantemos...

Es la Nochebuena
de grata memoria
porque vino al mundo
el Rey de la Gloria.

Cantemos, cantemos...

Divinos destellos,
raudales de luz
alumbran la cuna
del Niño Jesús.

Cantemos, cantemos...

La esfera celeste
canta luminosa
la paz y alegría
con voz deliciosa.

Cantemos, cantemos...

Oh noche dichosa,
noche de esplendor,
noche en que ha nacido
nuestro Redentor.

Cantemos, cantemos...

Casta paloma
Alejandro Vargas

Casta paloma
de gentil plumaje,
emblema tierno
de risueña paz,
dime si piensas
emprender el vuelo
o si hasta el puerto
de mi patria vas.

Cantando aguinaldos
pasaré la vida
bajo el cielo de oro
de Ciudad Bolívar.
Cantemos muchachos
con gran alegría,
la pascua es un año,
la vida es un día.

Casta paloma...

Cuando yo me muera
¿quién me irá a llorar?
sólo las campanas
de la catedral.
Uno y otro río
se dan cita aquí,
el padre Orinoco
y el río Caroní.

Casta paloma...

Cuando yo me muera
no quiero coronas
quiero que me canten
la Casta paloma.
La casta paloma
de pena se embarga
llora por la ausencia
de Alejandro Vargas.

Casta paloma...

Corre caballito

Corre caballito, vamos a
Belén
a ver a María y al Niño
también;
dicen los pastores que ha
nacido
un niño cubierto de flores.

El ángel Gabriel anunció a
María
que el Niño Divino de ella
nacería
de ella nacería, dicen los
pastores
que ha nacido un niño
cubierto de flores.

Los tres Reyes Magos vienen
del Oriente
y le traen al Niño hermosos
presentes (Bis)

dicen los pastores que ha
nacido
un niño cubierto de flores.

San José y la Virgen, la mula
y el buey
fueron los que vieron al niño
nacer (Bis)
al niño nacer, dicen los
pastores que ha nacido
un niño cubierto de flores.

De contento

De contento
voy cantando
al Dios Niño
celebrando.

Himnos, himnos de alabanza
cantad, cantad de alegría
en honor al niño
que nos da María.

De contento...

Cantos, cantos de alegría
todos, todos dirijamos
al que está nacido,
al que tanto amamos.

De contento...

Eres, eres oh Jesús,

vida, vida y consuelo,
verdad y camino
que nos lleva al cielo.

De contento...

¿Dónde está
San Nicolás?
Iván Pérez Rossi

Din dan din dan
suena campana armoniosa
suena sin cesar
din dan din dan
que el niño triste al oirte
se pondrá a cantar
tu tañido trae la dicha
en la Navidad
y un mensaje de esperanza
a la humanidad.
Los niños pobres preguntan
¿dónde está San Nicolás?
y los niños ricos juegan
felices en navidad.
Triste se ve el huerfanito
caminando en Navidad
que no tiene ni juguetes
ni el calor de su mamá.

El ángel Gabriel

El ángel Gabriel
le anunció a María
que al cantar el gallo

Jesús nacería.
Y a la medianoche,
cuando Ella dormía,
se cumplió el mandato
de la Profecía.

Para el nacimiento
del Dios de Israel
bajaron cantando
los Reyes también.
Y los pastorcillos
a Belén se van
llevando hallaquitas,
cachapas y pan.

San José y María
la mula y el buey
reposan debajo
de un araguaney.
Y sobre una mata
el Niño se mece
y un haz de cocuyos
de luz resplandece.

El niño criollo

Si la Virgen fuera andina
y San José de los Llanos
el Niño Jesús sería
un niño venezolano.

Sería un niño de alpargatas
y liquiliqui planchao
y en vez de aureola un

61

sombrero
de cogollo deschiflado.

Si la Virgen...

Tendría los ojos negritos
quién sabe si aguarapados
y la cara tostadita
del sol de por estos lados.

Si la Virgen...

Por cuna tendría un
chinchorro
chiquito, muy bien tejido,
y la Virgen mecería
al Niño Jesús dormido.

Si la Virgen...

Los ángeles cantarían
en vez de gloria aguinaldos
con furrucos, con maracas,
una charrasca y un cuatro.

Si la Virgen...

El perico
Oswaldo Oropeza

Yo no me explico cómo el
perico
teniendo un hueco debajo'el
pico
pueda comer, no puede ser,

cómo el perico
teniendo un hueco debajo'el
pico
pueda comer, no puede ser.

Este periquito es tan oriental
que hasta Margarita quisiera
llegar.
Desde Margarita hasta
Cumaná
a su periquito quiere
conquistar.

Yo no me explico...

Aguinaldos vienen,
aguinaldos van
y el pobre perico no ha
aprendido a hablar.
No tiene palabra para
enamorar
a su periquita, periquita real.

Yo no me explico...

El tamborilero
K. K. Davis

El camino que lleva a Belén
baja hasta el valle que la
nieve cubrió, .
los pastorcillos quieren ver a
su Rey,
le traen regalos en su humilde
zurrón.

Ro po pom po...
Ha nacido en un portal de
Belén
el Niño Dios.

Yo quisiera poner a tus pies
algún presente que te agrade,
Señor,
más tú ya sabes que soy pobre
también
y no poseo más que un viejo
tambor.
Ro po pom po...
En tu honor frente al portal
tocaré
con mi tambor

El camino que lleva a Belén
yo voy marcando con mi
viejo tambor,
nada mejor hay que te pueda
ofrecer,
su ronco acento es un canto
de amor.
Ro po pom po...
Cuando Dios me vio tocando
ante él
me sonrió.

Espléndida noche

Ricardo Pérez

Espléndida noche
radiante de luz,

es la Nochebuena,
pues nació Jesús.

Venid, adoremos
con suma humildad,
al Dios humanado,
que todo es bondad.

Espléndida noche...

Venid a Belén
con gozo y amor,
amemos al Niño,
nuestro Salvador.

Espléndida noche...

Oh, Jesús divino,
bendito tu nombre,
que tan sólo eres
amigo del hombre.

Espléndida noche...

Aromas de flores
vamos a ofrendar
al Niño Divino
que está en el portal.

Espléndida noche...

El Niño nos pide
como canastilla
un corazón puro
y un alma sencilla.

Espléndida noche...

Oro, incienso y mirra
cual ricos presentes
le ofrendan gozosos
los Reyes de Oriente.

Espléndida noche...

Feliz año pa' ti

Oh luna que brilla en
diciembre
se oye el rumor de un
cañonazo. (Bis)

Esta parranda querida
viene a darte un feliz año.
(Bis)

Un feliz año pa' ti,
un feliz año pa' él,
un feliz año pa' todos,
un feliz año.

Este es un conjunto, ay tú,
ay tú
alegre y sencillo, ay tú, ay tú.
Este es un conjunto, ay tú,
ay tú
alegre y sencillo, ay tú, ay tú.
Todo el que lo escucha,
todo el que lo escucha le toma
cariño.

Nosotros cantamos en la
navidad,
Nosotros cantamos en la
navidad
bellos villancicos,
bellos villancicos de
felicidad.

La jornada
Vicente E. Sojo

Din, din, din: es hora de
partir.
Din, din, din, camino de
Belén
los esposos van desde
Nazaret.

La Virgen María
modesta y sencilla
es la maravilla
del dichoso Edén.

Din, din, din...

Sobre un jumentillo
se sienta María
y es experto guía
el casto José.

Din, din, din...

Los buenos amigos
de José y María

llegan a porfía
a decirle adiós.

Din, din, din...

Van José y María
van hacia Belén,
donde nuestro bien
ha de aparecer.

Din, din, din...

Largo es el camino,
aire sofocante;
más es importante
cumplir el deber.

Din, din, din...

Llegan extenuados
al morir el día
y en la noche fría
no hay donde hospedar.

Din, din, din...

José solicita,
fuerte y animoso,
lugar de reposo
en todo Belén.

Din, din, din...

Nació el Redentor

Nació el Redentor
nació, nació.
En humilde cuna
nació, nació.
Para dar al hombre
la paz, la paz.
Paz y ventura, ventura y paz.

Yo quiero cantarte
graciosa María
con notas del alma
esta melodía.

Nació el Redentor...

Adoremos todos
con ardiente amor
al Verbo Encarnado,
al Dios Salvador.

Niño lindo

Niño lindo,
ante ti me rindo.
Niño lindo,
eres tú mi Dios. (Bis)

Esa tu hermosura,
ese tu candor,
el alma me roba,
el alma me roba,
me roba el amor.

65

Niño lindo...

Con tus ojos lindos
Jesús mírame
y sólo con eso,
y sólo con eso
me consolaré.

Niño lindo...

La vida, bien mío,
y el alma también
te ofrezco gustoso,
te ofrezco gustoso
rendido a tus pies.

Niño lindo...

De mí no te ausentes
pues sin ti ¿qué haré?
Cuando tú te vallas,
cuando tú te vallas
haz por llevarme.

Niño lindo...

Adiós, tierno infante,
adiós, Niño, adiós
adiós, dulce amante,
adiós, dulce amante,
adiós, Niño, adiós.

Niño lindo...

Noche de paz
F. Gruber

Noche de paz,
noche de amor:
Llena el cielo un resplandor.

En la altura resuena un cantar:
"Os anuncio una dicha sin
par:
que en la tierra ha nacido
Dios,
hoy, en Belén de Judá".

Noche de paz,
noche de amor:
Todo duerme en derredor.

Sólo velan María y José.
Duerme el Niño, y durmiendo
se ve
todo el cielo en su faz. (Bis)

Noche de paz,
noche de amor:
Todo duerme en derredor.

Sólo suenan en la oscuridad,
armonías de felicidad,
armonías de paz. (Bis)

Oh Virgen pura
R. Izaza

Oh Virgen pura
brillante flor
de nuestras penas
de nuestras penas
calma el dolor.

Reina del cielo
Madre de Dios
de tus amados
oye la voz.

Madre querida,
Madre de amor,
de nuestras penas,
oye el clamor.

Oh Virgen pura...

Purísima María
R. Izaza

Purísima María,
lirio de Nazaret,
Virgen predestinada
para salvar, para salvar,
al pueblo de Israel.

La voz armónica
de canto plácido,
del mundo pródiga
llena los ámbitos.

Purísima María...

Estrella cándida
de faz lumínica,
prestancia célica
del alba mística.

Tun tun
Rec: Vicente E. Sojo

Tun tun ¿quién es?
gente de paz,
ábrannos la puerta
que ya es Navidad.

Que venga el comisario
primero a averiguar
si son personas de orden
o quieren molestar.

Tun tun...

Si es que ha nacido el Niño,
pues, váyanse a Belén
que yo desde mi cama
les doy mi parabién.

Tun tun...

Me están robando el sueño,
me arruinan la salud,
no quiero trasnocharme
porque nació Jesús.

Tun tun...

No quiero abrir mi puerta,
molesten más allá,
que el diablo se los lleve,
a mi déjenme en paz.

Tun tun...

Parrandas

Chiriguare
Rec: Francisco Carreño

Cerca'e la laguna sale el
chiriguare
con rabo de burro y boca de
bagre.

Chiriguare, chiriguare
zamurito te va a comer
te va a comer, te va a comer,
te va a comer, ya te comió.
(Bis)

Dicen los vecinos del
pueblo'e Campona
que tiene pezuñas y tiene
corona.

Chiriguare, chiriguare...

El brujo machuco con sus dos
peones
mata al chiriguare con sus
oraciones.

Chiriguare, chiriguare...

Sale el zamurito que estaba
escondido
bailando joropo se comió al
podrío.

Chiriguare, chiriguare...

Córrela
Rec: Un Solo Pueblo

Córrela, córrela, córrela
córrela pa'llá (Bis)
no hay que darle gusto
a la humanidad.

68

Cata y Ocumare,
La Trilla y Cuyagua (Bis)
los pueblos más lindos
del Estado Aragua (Bis).

Córrela...

A los parranderos
del pueblo de Cata (Bis)
con este aguinaldo
les damos las gracias (Bis).

Córrela...

Francisco Pacheco
dile a Mitiliano (Bis)
si vamos pa' Cata
nos vamos temprano (Bis).

Córrela...

Tenemos la iglesia,
la plaza mayor (Bis)
y está San Francisco
que es nuestro Patrón (Bis).

Córrela...

Si llegas a Cata
y quieres comer (Bis)
pides el morao
y la rueda'e jurel (Bis).

Córrela...

¿Quién es esa gente
que cantó en el coro? (Bis)
Esa es Venezuela,
la flor del tesoro (Bis).

El cocuy que alumbra
Rec: Un Solo Pueblo

Vámonos muchachos
a correr sabana (Bis)
a correr sabana.
El cocuy que alumbra
toda la montaña (Bis).

Yo quisiera ser
como el aeroplano (Bis)
como el aeroplano
que vuela en invierno
igual que en verano (Bis).

Vámonos muchachos...

Se fue el año veinte
que viva el veintiuno (Bis)
que viva el veintiuno
que viva Cuyagua
que todos son uno (Bis).

Vámonos muchachos...

Oye María Díaz
de mi corazón (Bis)
de mi corazón
tú tienes la culpa
yo tengo razón (Bis).

69

Vámonos muchachos...

Que sepa Griselia
que la recordamos (Bis)
que la recordamos
y al pueblo'e Cuyagua
se lo dedicamos (Bis).

Vámonos muchachos...

Al pueblo'e Cuyagua
nosotros nos vamos (Bis)
nosotros nos vamos
y el año que viene
por aquí pasamos (Bis)

Vámonos muchachos...

La burra

Rec: Un Solo Pueblo

Préstame tu burra
pa' ir pa' Choroní (Bis),
si tu burra es buena
yo vuelvo a venir (Bis).
Yo vuelvo a venir,
yo vuelvo a venir.
Préstame la burra
pa' ir pa' Choroní,
si tu burra es buena
yo vuelvo a venir.
Si tu burra es buena
yo vuelvo a venir.

Préstame la burra
pa' ir pa' Maracay (Bis),
si tu burra es buena
ya viene por ahi (Bis).
Ya viene por ahi,
ya viene por ahi.
Préstame la burra
pa' ir pa' Maracay,
si tu burra es buena
ya viene por ahi.
Si tu burra es buena
ya viene por ahi.

Vi salir la burra
del pueblo de Cata (Bis)
ya lleva a Bolívar
para Borburata (Bis).
Para Borburata,
para Borburata.
Vi salir la burra
del pueblo de Cata
ya lleva a Bolívar
para Borburata.
Ya lleva a Bolívar
para Borburata.

Te tumbó la burra
vuélvete a parar (Bis)
dale un latigazo
y hazla corcovear (Bis)
Y hazla corcovear,
y hazla corcovear.
Te tumbó la burra
vuélvete a parar,
dale un latigazo

y hazla corcovear.
Dale un latigazo
y hazla corcovear.

Préstame tu burra
que la voy a enarmá (Bis)
con un saco'e ñame
y batata morá (Bis).
Y batata morá,
y batata morá.
Préstame tu burra
que la voy a enarmá
con un saco'e ñame
y batata morá.
Con un saco'e ñame
y batata morá.

Dámele la vuelta
tú la sabes dar (Bis),
báilala, Bolívar
pa'lante y pa'tras (Bis).
Pa'lante y pa'tras,
pa'lante y pa'tras.
Dámele la vuelta
tú la sabes dar;
báilala, Bolívar
pa'lante y pa'tras.
Báilala, Bolívar
pa'lante y pa'tras

Desde Borburata
se vino pa'cá (Bis)
y a burra mañosa
le gusta viajar (Bis).

Le gusta viajar,
le gusta viajar.
Desde Borburata
se vino pa'cá
y a burra mañosa
le gusta viajar.
Y a burra mañosa
le gusta viajar.

Ya se va la burra
ya se va, se va
la burra tan floja
quiere descansar.
Quiere descansar
quiere descansar.
Ya se va la burra
ya se va, se va.
Llévala, Bolívar
que tú le sabes dar.
Corcovea la burra
si quiere corcovear.
Si acaso te tumba
vuélvete a parar.

La matica
Rec: Un Solo Pueblo

Nosotros vivimos
bajo'e la matica (Bis),
verano con ella
y ella verdecita (Bis).

Si hicieran arado
que el hombre empuñara
(Bis)

por todos los prados
vida se encontrara (Bis).

Si hicieran arado
bajo'e la matica...

Denme mi aguinaldo
aunque sea poquito (Bis)
veinticinco arepas
y un marrano frito (Bis).

Denme mi aguinaldo
bajo'e la matica...

Dale a la tambora
con entonación (Bis)
para que se alegre
nuestro parrandón (Bis).

Dale a la tambora
bajo'e la matica...

Cantando aguinaldos
no hay que desmayar (Bis)
las pascuas se hicieron
para parrandear (Bis).

Cantando aguinaldos
bajo'e la matica...

Bueno pues, muchachos
me voy con dolor (Bis)
porque no los llevo
para donde voy (Bis).

Bueno pues, muchachos
bajo'e la matica...

María Paleta
Rec: Un Solo Pueblo

Toda la noche pescando
María dale paleta
María Paleta, para pescar un
cangrejo,
María Paleta, para pescar un
cangrejo;
que animal que no se come
María dale paleta
María Paleta, se deja morir de
viejo,
María Paleta, se deja morir de
viejo.

El día que yo me quede
María dale paleta
María Paleta, sin el aliento y
la voz,
María Paleta, sin el aliento y
la voz
se la pido al pueblo'e Tarma
María dale paleta
María Paleta, que ese canta
como yo,
María Paleta, que ese canta
como yo.

De parte de Un Solo Pueblo
María dale paleta

dale paleta, para el pueblo de
Oricao
dale paleta, para el pueblo de
Oricao.
Antes que llegue diciembre
María dale paleta
dale paleta, siguen cogiendo
pescao,
dale paleta, siguen cogiendo
pescao.

En el pueblo de Oricao
María dale paleta
oye paleta, pronto llegará la
calma,
María Paleta, pronto llegará la
calma.
El pueblo venezolano
María dale paleta
oye paleta, une su canto al de
Tarma,
María Paleta, une su canto al
de Tarma.

Cantando estas fulías
María dale paleta
dale paleta, digo siempre lo
que debo,
María Paleta, digo siempre lo
que debo.
Por una muchacha'e Tarma
María dale paleta
dale paleta, hago hasta lo que
no puedo,

María Paleta, hago hasta lo
que no puedo.

Aunque con estas palabras
María dale paleta
María Paleta, anuncie la
despedía,
María Paleta, anuncie la
despedía,
para seguir parrandeando
María dale paleta
María Paleta, nos veremos
otro día,
María Paleta, nos veremos
otro día.

Mi mamá no quiere
Rec: Un Solo Pueblo

Mi mamá no quiere
que yo la abandone (Bis)
porque le da pena
y a llorar se pone (Bis).

Mi mamá no quiere
que yo vaya allá (Bis)
porque de la pena
se pone a llorar (Bis).

Abreme la puerta
y ábreme el portón (Bis)
y ábreme las alas
de tu corazón (Bis).

Mi mamá no quiere
que yo vaya allá...

Y el Dios hecho hombre
guía a la humanidad
y borrar quiso el nombre
de tanta maldad.

Mi mamá no quiere
que yo vaya allá...

Quisiera tener
garganta de acero (Bis)
para repartirle
a mis compañeros (Bis).

Mi mamá no quiere
que yo vaya allá...

Pozo del camino
tus aguas dichosas (Bis)
de espejo le sirven
a las mariposas (Bis).

Mi mamá no quiere
que yo vaya allá...

Mi mamá no quiere
que yo vaya al río (Bis)
porque los soldados
me quitan lo mío (Bis).

Mi mamá no quiere
que yo vaya allá...

Parranda
Vicente E. Sojo

Parranda, para parrandear;
parranda, vamos a empezar,
porque ya las pascuas
se van a acabar.

Los tres Reyes Magos
vestidos de armiño
vienen de sus reinos
a adorar al Niño.
Oro, incienso y mirra
traen desde el Oriente
y una taparita
llena de aguardiente.

Parranda...

Agreste y humana,
la grey cariñosa
ofrece al infante
dulce de lechosa;
y quesos más blancos
que la luz del día
en hojas de hallaca
llevan a María.

Parranda...

Al Santo Patriarca,
de vara florida,
le dan un cigarro
con punta encendida;
y al diablo enojado,

que tose y no escupe,
le dan en un cacho
carato de acupe.

Parranda...

Recuerda morena

Iván Pérez Rossi y
Gualberto Ibarreto

No hay cielo sin sol
ni mar sin arena,
recuerda morena
que yo soy tu amor.

No hay amor sin celos,
no hay pena sin llanto,
no hay mujer como ella
para amarla tanto.

No hay lluvia sin agua
ni flor sin rocío
y si tú me dejas
me muero de frío.

No hay noche sin luna
cielo sin estrellas
y no hay un instante
que no piense en ella.

No hay pasión sin fuego
dolor sin herida
y si tú me dejas
te llevas mi vida.

Si tú no me quieres

L: Iván Pérez Rossi
M: Iván Pérez Rossi y
Miguel Angel Bosch

Si tú no me quieres
te pego tres tiros
vivir sin tus besos
yo no lo concibo.

Si tú no me quieres
me voy de tu lado
a sufrir tu ausencia
triste y desolado.

Si tú no me quieres
qué hago con quererte,
sufrir sin tu risa
y esperar la muerte.

Si tú no me quieres
mi vida se apaga,
dime a quién le canto
junto a su ventana.

Si tú no me quieres
negra primorosa
buscaré tu olvido
en brazos de otra.

Si tú no me quieres
me muero de pena
al no estar contigo
en la Nochebuena.

75

Viene la parranda
Iván Pérez Rossi

Viene la parranda
entren por la puerta
para los amigos
mi casa está abierta.

Viene la parranda
furruco y tambor
y viene la negra
dueña de mi amor.

Pa' cantar parrandas
hace falta ron
un cuatro sabroso
y un gran corazón.

Verde es el naranjo
verde es el limón
y el verde en tus ojos
es fuego y pasión.

Roja es la cayena
rojo el pichigüey
y rojos tus labios
que saben a miel.

Yo sigo cantando
porque es mi deber
seguir la parranda
hasta amanecer.

Viva Venezuela
Mitiliano Díaz

Viva Venezuela, mi patria
querida
quien la libertó, mi hermano,
fue Simón Bolívar. (Bis)

Gracias a la Providencia
demos los venezolanos
que nos dio a ese ser humano
para nuestra independencia.
(Bis)

Viva Venezuela...

Cuando Bolívar nació
Venezuela pegó un grito
diciendo que había nacido
un segundo Jesucristo. (Bis)

Viva Venezuela...

Desde el pueblo'e Cata vengo
como buen venezolano
a cantar esta parranda
con versos bolivarianos. (Bis)

Viva Venezuela...

Juró Bolívar un día
en territorio romano
que libertad le daría
al pueblo venezolano. (Bis)

Viva Venezuela...

Bolívar no está muerto
siempre estará en la memoria
por eso lo recordamos
y así lo dice la historia. (Bis)

Viva Venezuela...

Merengues y pasodobles

A cuerpo cobarde
(La pea)
Gualberto Ibarreto

A cuerpo cobarde
cómo se menea
yo cargo una pea
que Dios me la guarde. (Bis)

¿Qué te pasa musa,
musa qué te pasa?
¿Qué te pasa musa,
musa qué te pasa?
entre laza y cruza,
entre cruza y laza.

A cuerpo cobarde...

Hombre parrandero
no debe morirse
para divertirse
con sus compañeros. (Bis)

A cuerpo cobarde...

Quién fue el que te dijo
que yo no sabía
porque no tenía
un sendero fijo. (Bis)

A cuerpo cobarde...

La puerca conmigo
y yo con la puerca
la puerca me gruñe
y yo ¡sale puerca! (Bis)

A cuerpo cobarde...

Barlovento
Eduardo Serrano

Barlovento, Barlovento
tierra ardiente y del tambor.

Barlovento, Barlovento
tierra ardiente y del tambor.
Tierra de las fulías y negras
finas
que llevan de fiesta
su cintura prieta.

Y al son de la curveta y el
taqui-taqui de la mina.
Y al son de la curveta y el
taqui-taqui de la mina.
Sabroso que mueve el cuerpo
la barloventeña cuando
camina,
sabroso que suena el
taquititaqui sobre la mina.
Que vengan los conuqueros
para el baile de San Juan.
Que vengan los conuqueros
para el baile de San Juan
que la mina está templada pa'
soná el taquititá tiquitá
taquititá tiquitá, taquititá
taquititá tiquitá, taquititá.

Brujería
Luis E. Guevara

No sé, mi negrita linda,
qué es lo que siento en el
corazón
que ya no como ni duermo
sino pensando sólo en tu
amor.

Hay muchos que me
aconsejan
que te abandone, que me
haces mal
y yo no sé lo que pasa
que cada día te quiero más.

Y todos dicen los mismo:
que tú me estás embrujando,
que conmigo estás acabando
que ya no sirvo pa' ná,
y que nunca más en la vida
volveré a ser lo que era,
tan alegre y enamorao
como era antes de estar sin ti,
y que ya no soy ni mi sombra,
que me ven y no me conocen,
que mi mal no tiene remedio,
que ya yo te perdí.

Canta tú, ruiseñor
Lorenzo Herrera

Canta tú, ruiseñor
con tu piquito sin cesar,
que con tu canto y tu vagar
me haces amores recordar.
(Bis)

Con tu elegante plumaje real
y el aire de tus alas al pasar,
dejas en mi alma el palpitar
de un amor mentiroso y
desleal. (Bis)

Caracas (1)
(Pasodoble)
J. Quiroz

Tierra de leyendas de bravos
guerreros,
primavera india, hija de
españoles,
yo llevo en el alma tu Avila,
tu cielo
y de ti expreso llora el
corazón.

Esta es mi Caracas, la de mis
ensueños
esta es mi Caracas la
monumental.

Bella Caracas, bajo tu cielo
tu luna y tu sol
todas las razas buscan
fortuna, ventura y amor,
luces gloriosas con tus
guirnaldas de carros a tu
alrededor.

Caracas, ciudad hermosa,
tú eres bella
Caracas, la cuna del
Libertador.

Compae Pancho
Lorenzo Herrera

Oiga compae Pancho
lo que me pasa no sabe usted
que la negrita del rancho
con el pulpero ayer se me fue.
(Bis)

Ay mi compae,
si usted la ve
dígale por su hijito,
compae Pancho, vuelva otra
vez. (Bis)

Oiga compae Pancho
entre ella y yo no ha pasao
na',
sólo que la camisa
me la planchó muy almidoná.
(Bis)

Ay mi compae...

Oiga compae Pancho
lo que pasó se lo contaré,
palabras acaloradas
y luego el puño que se me
fue. (Bis)

Ay mi compae...

Oiga compae Pancho
lo que me pasa lo entiende

usted,
me siento enguayabao,
no tengo gusto ni pa'l café.
(Bis)

Cristal
Simón Díaz

Usted sí que es bien bonita,
señorita
con su boquita de caña dulce
recién cortá.

Usted sí que es bien bonita,
señorita
con su sonrisa como las flores
de resedá.

Cristal, bonita como el turpial
que canta en el morichal
de tus cabellos
y la mirada la cascada
que me moja el corazón.

Y yo, que me muero de
soledad,
tengo la yegua ensillá para los
dos. (Bis)

Mango de hilacha caracha,
es mi muchacha,
con esos ojos tan lindos de
tamarindo.

Y yo, que me muero de
soledad,
tengo la yegua ensillá para los
dos. (Bis)

Cumpleaños venezolano

La noche se muestra hermosa
y reboza de alegría
las estrellas dicen cosas
titilando poesías.
La luna está sonriente
y se inclina frente a ti
para desearte por siempre
un cumpleaños feliz. (Bis)

Apaguen las velas
y piquen la torta
que la noche es corta
y la fiesta está buena.
Y para brindar
por tu felicidad
saquen una botella de ron
que quiero tomar.
Y que este parrandón
dure hasta la madrugá. (Bis)

El burro parrandero
José Sifontes

Yo tengo en mi casa un burro
que le gusta parrandear

y cuando ve a su burrita
la invita ahí mismo a pasear.

Se para de madrugada
con el cuatro y el tambor
y a su burrita le canta
con alegría y sabor.

Mi burro se da una fama
de tipo muy ricachón
le gusta dormir en cama
y comer en comedor.

Mi burro en cada parranda
no tiene comparación
le encanta una serenata
y una botella de ron.

Es parrandero y más flojo
que el burro de Nicolás,
le gusta la guarapita
también la papa pelá.

Si mi burro se me muere
por Dios me pongo a llorar,
otro burro parrandero
dónde lo voy a encontrar.

El carite

Rec: F. Carreño y
A. Wallmitjana

Ayer salió la lancha Nueva
Esparta

salió confiada a recorrer los
mares
y encontró un pez de fuerzas
muy ligeras
que rompe los anzuelos y
revienta los guarales.

Como la cosa es bonita
yo me vengo divirtiendo,
pero me viene siguiendo
de lejos una piragüita. (Bis)

En los ramales del golfo lo
pescamos
en lo profundo del mar donde
vivía
y lo pescamos en la lancha
Nueva Esparta
para presentarlo hoy con
alegría.

Como la cosa es bonita...

Señores todos, las gracias les
damos
los pescadores se van a
marchar
y nos despedimos con este
Carite
que lo presentamos en el
Carnaval.

Como la cosa es bonita...

El catre
Miguel Núñez

No puedo pagar la casa
y me tengo que mudar,
voy a vender los corotos
porque yo pienso emigrar.
(Bis)

Voy a hacer un avisito
económico y ligero
a ver si vendo los muebles
que no se llevó el casero.
(Bis)

No puedo pagar la casa...

Se vende un escaparate,
cuatro sillas y una jaula,
un primus de medio uso
y un juego de dominó.

¿Y el catre?
El catre sí no lo vendo
porque en ese duermo yo,
y el catre sí no lo vendo
porque en ese duermo yo.

No puedo pagar la casa...

El muñeco de la ciudad
Adrián Pérez

La gente dice que soy
el muñeco de la ciudad
porque soy negro, negrito
con la bemba colorá.

Negro que baila caliente,
negro que toca el tambor,
negro que baila el cumaco
con fuego en el corazón.

Todos se acercan a verme
por la gracia que yo tengo,
al golpe de la tambora yo
les bailo este merengue.

Negro que baila caliente...

Señor si negro nací
fue porque lo quiso Dios,
pero bailo este merengue
con fuego en el corazón.

Negro que baila caliente...

Negro que baila sabroso,
negro que toca el tambor,
negro que come candela,
negro que masca chimó.

El norte es una quimera
Luis Fragachán

Me fui para Nueva York
en busca de unos centavos
y he regresado a Caracas
como fuete de arrear pavos.
El norte es una quimera,
¡qué atrocidad!
y dicen que allá se vive
como un pachá. (Bis)

Ay Nueva York
no me halagas con el oro,
tu riqueza la rechazo,
no me agrada y la deploro.
Ay Nueva York no má,
no voy,
allá no hay vino, no hay
berro, no hay amor.

El robalo
Rec: F. Carreño y
A. Wallmitjana

Yo te conozco robalo
por el camino que vas
con tus zapatitos blancos
y tus medias colorás.
Préstame acá tu curiara
con un par de canaletes
para coger el robalo
que me ha roto mi filete.
Robalito, robalito

por qué estás tan asustao
si es porque ves la atarraya
todavía no te he pescao.
Si el robalo se me aboya,
por Dios que lo toleteo
y si se va para abajo,
lo cojo y lo guaraleo.

El sebucán
Folklore

El tejer el sebucán
es de gran facilidad
pero para destejerlo
está la dificultad. (Bis)

Este lindo sebucán
se abre como un paraguas,
tiene cintas de colores
y en el medio la encarná.
(Bis)

Aquí estamos las guarichas
tejiendo este sebucán
y si nos equivocamos
mal tejido quedará. (Bis)

El que quiera aprender
a tejer el sebucán
fijándose en nosotras
enseguida aprenderá. (Bis)

Y ya estamos destejiendo
este lindo sebucán,

señores y señoritas,
complacidos quedarán. (Bis)

Esta es Venezuela
César Viera

Mira las garzas que lindas
vuelan en la laguna
mira la negra como redobla
ya su cintura
mira el negrito que en la
penumbra con su bravura
ay qué ricura, qué sabrosura.

Hay dos viejitos apurruñados
que tratan de bailar
y que los años les han
golpeado su pobre humanidad
y dan pisones y tropezones
con mil diabluras
ay qué ricura, qué sabrosura.

Una señora que encopetada
pasó por el lugar
la puso roja de una trompada
en sus caderas Juan,
y Micaela para calmarla le
trajo al cura
ay qué ricura, qué sabrosura,
ay qué ternura, qué sabrosura,
ay qué ricura, qué sabrosura.

Juan José

Allá viene, allá viene Juan
José
y viene de la gran capital
más vitoqueao que un pavo
real
echándosela de gran señor.
Ya camina como un yo-no-sé-
qué
y con el cuello alzao,
dicen que sabe mucho
que viene rico y recomendao.

¡Ay! Juan José me da pena
verte
cómo te han despachao,
ya no sabes montar
ni siquiera hacer caminar tu
burro;
¡ay! Juan José burro no se
monta
con sombrero ni zapatos
ni con sortija de mucho brillo
ni con pañuelo muy amarillo
ni con bastón de puño de oro,
¡ay! Juan José. (Bis)

La distancia
Enrique Hidalgo

Aunque de tu pueblo al mío
hay un paso, hay un paso
(Bis)

yo no me acerco, amor mío,
ni borracho, ni borracho
pues me han dicho que tu
padre
anda de escopeta armá;
no vaya a ser que ese viejo
me agarre en la empalizá.

Y después yo tenga que saltá
y después yo tenga que sufrí
y después yo tenga que llorá
y después yo tenga que saltá
y después yo tenga que sufrí
y después yo tenga que llorá
la la la lara la la lan
la la la lara la lain. (Bis)

Aunque de tu pecho al mío
no hay distancia, no hay
distancia, (Bis)
yo sólo tengo, amor mío,
tu fragancia, tu fragancia,
pues me han dicho que tu
padre
anda de escopeta armá;
no vaya a ser que ese viejo
me agarre en la empalizá.

Y después yo tenga...

La máquina
Balbino García

Préstame la máquina
señora Isabel.
Yo no te la presto,
se me echó a perder.
Préstame tu máquina
para yo coser.
Yo no tengo máquina
se me echó a perder.

Préstame tu máquina
yo no tengo máquina
yo no tengo máquina
para yo coser.

Préstame tu máquina
para yo coser.
mira que la mía
se me echó a perder.

La negrita de Morón
José Reyna

Sabrosito, así,
mueve la cintura Inés,
balanceando va
la cintura con los pies.

Con tambores y maracas
es el ritmo tropical,
y los negros se menean así
como las olas del mar.

85

Aé, aé, la negra no quié cantá,
aé, aé, la negra no quié bailá,
aé, aé, dale duro a ese tambó
que los negros ya se van
y el merengue terminó.

La zapoara
Francisco Carreño

Llegando a Ciudad Bolívar
me dijo una guayanesa
que si comía la zapoara no
comiera la cabeza. (Bis)

Y me la comí, ay que
atrocidad,
puse la torta por mi
terquedad. (Bis)

Me lo aconsejó mamita, me lo
recordó Teresa
que si comía la zapoara no
comiera la cabeza. (Bis)

Y me la comí...

Qué importa si me he comido
la bicha con to' y cabeza
siempre que reciba el beso de
mi linda guayanesa. (Bis)

Y me la comí...

Negra, la quiero
Eduardo Serrano

El día que yo me case
si he de casarme algún día
será con una negrita
nacida en Santa Lucía
que no se ponga chancleta,
que me sepa cocinar,
quiero que tenga la cabeza
como chiva de jojoto recién
cortá.
Ha de ser ensortijao
como ha de tener el pelo,
pues no me gusta ondulao
ni de larga clinejera.
La que ha de ser mi costilla
a quien le dé el corazón
quiero que tenga la cabeza
bien llenita,bien llenita de
chicharrón.
Cuando vaya para el Tuy en
busca de ella
tendré una yegua linda y
veloz
que sea mansa con las ancas
bien grandotas
donde quepamos mi negra y
yo.
Cuando me bese con pasión
en el cogote
y grite alegre "Sí me gustó"
suelto la mula al pasitrote
mi negrita como loco guaisó,
guaisó.

¡So! ¡So! ¡So! ¡So! Párate
mula ligero
que ahora el beso lo doy yo.

Ni se compra ni se vende
(Pasodoble)

Me ofrecen
correr el mundo entero
de amores y dinero,
me brindan un caudal
a cambio
me piden el velero
con más gracia y salero
que cruza por la mar.

Es la quilla de azul esmeralda
y es la vela de blanco marfil,
mi velero jamás tendrá precio,
por eso a la gente le digo yo
así:

Ni se compra ni se vende
el cariño verdadero,
ni se compra ni se vende
no hay en el mundo dinero
para comprar los quereres.
Que el cariño verdadero
que el cariño verdadero,
ni se compra ni se vende.

La patria
me quiso marinero

y yo le di sincero
la flor de mi querer.
Con flechas
clavó mi fantasía,
la luz de un nuevo día
comienza a florecer.

Y es la espuma del mar de
mis sueños,
que en un beso de luna y de
sol,
y las olas con son de guitarra
le entregan al mundo mi viejo
cantar.

Sultana del Avila
(Pasodoble)
Lorenzo Herrera

Allá en la falda del Avila
allá donde yo nací,
vivía una linda trigueña
que adoro con frenesí.

Era una tarde de mayo
en que prendado quedé
de aquella linda trigueña
de quien yo me enamoré.

Trigueña de mis amores,
evocación de mi cantar,
cómo te envidian las flores
cuando te miran pasar.

87

Trigueña de mis amores
del Avila eres sultana
y tienes la gentileza
de mi tierra venezolana.

Tongoneaíto
J. A. Sánchez Azopardo

Te voy a cantar un merengue
pa' que te quede aclarao
que tú con tus procederes
me tienes medio chiflao
con ese tongoneaíto
tan sabroso y resabiao.

Tongoneaíto, si te pido un
beso,

tongoneaíto, te me echas pa'
un lao,
tongoneaíto y miras con risa
cómo se me salen los ojos por
ti,
cómo se me salen los ojos por
ti.

Bendito sea Dios, caramba,
ya no aguanto esta pasión,
me paso la noche en vela
con mi capricho y mi
sonsonete,
con mi coquito y mi majarete,
con mi sonrisa de medio
gallete,
la boca abierta y pensando
siempre en ti.

Valses

Adiós Ocumare
L: Gregorio J. Timotes
M: Angel M. Landaeta

Si por cruel imposición
abandono tu valle,
temo que mi corazón
por la pena estalle
y si por sino infeliz
nunca más yo volviere
¡Ay Ocumare, ay de mí!

no sé por qué me fui
ni cuándo volveré. (Bis)

El Tuy es muy dichoso en su
correr
pues no te abandona aunque
se va,
cuando felizmente en su
vagar
baja hacia las playas, hacia el
mar.

Envidia me causa en mi dolor
el ver el frescor de su vergel
y beso sus plantas siempre
fiel,
sin decirle nunca adiós. (Bis)

Amor eterno
Salvador Salazar

Abre tu ventana, mi amor,
y escucha mi canción,
esta noche de luna
te vengo yo a cantar.

Espero le pondrás
toda tu atención,
en ella te diré
lo que por ti
siente mi corazón.

Quisiera ser el mar,
la luna enamorada tú,
poner como testigo
al inmenso cielo azul,
y besar y besar
tu rostro acanelado,
y eternamente de ti
sentirme enamorado.

Andino
J. Quiroz

Yo soy de las tierras andinas
yo soy de estas tierras

benditas.
De allá son los hombre del
día,
las hembras más lindas
también son de allá.

Las nieves en los campos nos
pintan
paisajes que son maravillas,
no hay tierras más lindas y
bellas
que las cordilleras donde yo
nací.

Y para qué quiero más
si yo nací en un jardín,
y para qué quiero más
si ser de allá me hace feliz.

Anhelante
José Sifontes

Me conformo con verte
aunque sea un instante,
me conformo con mirarte
un momento nada más,
para mirar de lejos
el matiz y el contraste
que dan tus ojos bellos
junto a la intensidad.

Y aunque me digas que no me
quieres
dulcemente vivirás en mí

como cantío de inquietas
aves,
como el rocío de una noche
gris
y aunque mi vida se encuentre
errante
te juro que anhelante vivirás
en mí. (Bis)

Ansiedad
J. H. Sarabia

Ansiedad de tenerte en mis
brazos
musitando palabras de amor,
ansiedad de tener tus encantos
y en la boca poderte besar.

Tal ves estés llorando al
recordarme
tus lágrimas son perlas que
caen al mar
y el eco adormecido de este
lamento
hace que estés presente en mi
soñar.

Quizás estés llorando tu
pensamiento
y estreches mi retrato con
frenesí
y hasta tu oído llegue la
melodía salvaje
y el eco de la pena de estar
sin ti.

Ayúdame
J. H. Sarabia

Ayúdame, que estoy llorando.
Me lleno de inmensa tristeza
cuando estoy llorando.
Ayúdame, que ya no aguanto
pudiera luchar contra el
mundo
si confías en mí.
Abrázame que nadie nos
mira,
no sientas angustia ni pena
que nadie vendrá.
Prométeme que nadie en el
mundo
hará que te olvides
ni que nos separe una
eternidad.
Abrázame, si lloro no
importa,
es por la alegría de estar en
tus brazos
un minuto más.

Brisas del Zulia
Amable Espina

Meciendo las palmeras
como si fuera mecer de naves,
me pongo en mi terruño a
evocar
la brisa de mi lago gentil;
como perfume fresco,

como caricia de fresca flor,
que en hálitos tibios
las embriagaciones de mi
claro sol.

Las ondas de mi lago
semejan gaviotas de cristal
que fingen caravanas
tras la brisa de un hermoso
ideal;
pletóricas de espuma,
sutiles ilusiones del mar,
que huyen tras la sombra
de un hermoso cocal.

Soñar despierto, frente a la
luna
con las pupilas llenas de sol,
brisas del Zulia, canción de
cuna
no olvido nunca tu acariciar.

Brumas del mar
Balbino García

Así cual las brumas del mar,
allí donde nace el amor,
hay seres que nacen y crecen
y nunca perecen muriendo de
amor. (Bis)

Cuando de pronto creí poseer
tu amor platónico, ingrata
mujer,

le diste a otro de tu amor la
calma
dejando en mi alma una
herida cruel. (Bis)

Canto a Caracas
Billo Frómeta

Para cantarte a ti puse al arpa
todas las cuerdas de oro,
para cantarte a ti mi garganta
recogió un ruiseñor.
Para cantarte a ti, mi Caracas,
he pedido al poeta
que le ponga a mi verso
toda su inspiración.

Y es que yo quiero tanto a mi
Caracas
que mientras viva no podré
olvidar
sus cerros, sus techos rojos,
su lindo cielo,
las flores de mil colores de
Galipán.

Y es que yo quiero tanto a mi
Caracas
que sólo pido a Dios cuando
yo muera
en vez de una oración sobre
mi tumba
el último compás de Alma
Llanera.

Caracas vieja
Billo Frómeta

Hoy que de nuevo te vistes
un grato recuerdo me queda
de ti,
hoy que te vas alejando,
con honda tristeza te canto yo
así:

Caracas vieja,
la de rejas discretas;
Caracas vieja,
la de dulces canciones.

Contigo llevas
mis más tiernos recuerdos,
noches de luna,
serenatas y un balcón.

Caracas vieja
que te vas con los años,
en cada reja
que dejamos de ver,
se va un idilio,
se va un romance,
se va un recuerdo
de nuestro ayer.

Contigo llevas...

Cómo llora una estrella
L: A. Vivas Toledo
M: Antonio Carrillo

Recuerdos de un ayer que fue
pasión,
del suave titilar que ayer yo
vi,
en tu dulce mirar tu amor
sentí,
tu cara angelical, rosa de
abril.

Cómo quisiera yo amar y ser
la mística oración que hay en
ti,
pero al no sentir tu raro amor
de ayer
la estrella solitaria llorará de
amor.

Dame la tierna luz
de tu lindo mirar
que es como el titilar
de una estrella de amor
y en éxtasis profundo de
pasión
mis versos tristes yo te
brindaré
y en tu lozana frente colgaré
la estrella de este gran amor.

Conticinio
L: C. Carrasco
M: L. Mejías

A mi alma esta inquietud la
invita a recordar,
la imagen de un amor
sacrosanto y fugaz,
el destino fatal nuestras rutas
cambió \
y ante la muerte amarga
nuestro sueño declinó.

Horas gratas vivimos los dos,
horas gratas que ya nunca
volverán
y que siempre en mi pecho
estarán
dulces horas sublimes de ayer
han pasado a ser dueñas de
todo mi ser.

Hoy mi vida tan sólo es
pensar
recordar, recordar, recordar,
la imagen adorada de ese
ángel tan amado
muerte impía que mal te
causé
que del mundo arrancaste su
ser
te ruego que no olvides
que es mi vida un cruel
padecer.

Elevo hasta lo azul
una suave oración de tristeza
y de amor,
y en ella envío mi alma con
gran pasión
a la amada que está junto al
Señor.

Crepúsculo coriano
Rafael S. López

Bajo el cielo azul pliega un
bostezo el sol
cuya tenue luz cincela un
arrebol,
las brisas solares rizan al
pasar
el vientre sonoro desnudo del
mar.

Desde un campanario se oye
una canción
que cantan los bronces con
aire tristón
y mientras la tarde se aburre
de luz
las sombras se agolpan
tejiendo un capuz.

Todo el embrujo del
atardecer,
vuelca su gracia y sin igual
calor
en la carita virginal de una

mujer,
crepúsculo en vida convertido
en flor.

La nerviosa expresión de su
mirada tropical
encendía mi ser cuando le
hablé de amor
mientras su voz corona de
límpido cristal
orquestaban las olas en un
caracol.

Cuando me faltas tú
Manuel L. Ramos

Qué inmenso padecer,
qué amargo mi penar,
qué triste soledad
la que me dejas tú
cuando la adversidad
nos hace separar.
Me faltan las cosas
que tienes tú:
tu risa, tu boca
y tu dulce voz. (Bis)

Cuando me faltas tú,
qué desesperación;
no alumbra ni la luz,
no hay voz en mi canción;
no brillan las estrellas
del amplio firmamento;
no hay todas esas cosas

lindas, primorosas,
que vienes trayendo tú;
tan sólo sinsabores,
penas y dolores
si me faltas tú. (Bis)

Dama antañona
L: Leoncio Martínez
M: F. de Paula Aguirre

De límpidos blasones tú fuiste
la rosa,
románticos galanes dijeron
ayer,
¡qué trigueña tan linda que vi!
al salir de la misa de diez.

Mirándote bajabas la frente
de nácar,
y cándida, esquivaban tus
ojos la luz,
escondiendo fugaz el rubor
tras las blondas del cielo
andaluz.

Dama antañona gentil,
el honor fue tu escudo,
supo en sus galas unir
el amor y el hogar,
noches de luna escuchó,
al balcón serenatas
y de rendido galán aceptó
las ternezas bailando un vals.

Lindísimas muchachas del
tiempo de ahora
de púrpura los labios, los ojos
carbón,
falda corta, mejillas carmín,
desenvueltas con aire de
sport.

Histéricas miradas que al
hombre provocan
y lúbricos esguinces que
impone el fox-trot,
sin embargo su ser lleva en sí
inocencia, virtud y candor.

Loca de dicha pueril inventó
raro traje,
quiso en el dancing lucir el
disfraz del ayer,
largas enaguas vistió y al
prender la mantilla
la caraqueña probó ser eterna
como un ángel, mujer y flor.

Diminuta
Luis Arismendi

Cuando miro tus ojos, ojos
tan bellos
tras de un cristal, pienso que
tal vez
mañana no me miren más.

Diminuta criatura
que el cielo mismo me
obsequió,
dime si es que me quieres o es
ilusión.

Nunca pensé quererte tanto,
ni enamorarme de ti;
siento que te llevo dentro,
no sé por qué.

Diminuta criatura
que el mismo cielo me la
obsequió,
dime si es que me quieres o es
ilusión.

Dolor de ausencia
Rafael Montaño

Voy caminando solo
y mi pensamiento
busca tu compañía
que nunca encuentro;
voy gritando tu nombre
y en mi agonía
te veo pasar muy cerca
sin escucharme.

Porque tu alma no siente
como la mía,
porque tú no sientes
lo que el alma mía,
lo que el alma mía,
lo que el alma mía.

Dolor siento en mis venas
en todo momento
y comprendo, mi bien,
que tú no sabes
mis hondas penas.

Vivo pidiendo al cielo
que conmigo seas buena
y que tu alma me sienta
dentro muy dentro,
dentro muy dentro,
dentro muy dentro.

El ausente
Alfredo Escalante

Por mi mal prendiste en mi
soledad
la vaga luz azul de tu claro
mirar.
Ya no te apartaré de mí
y ausente no podré vivir,
porque sin tu mirar
moriré de amor.
Por qué tú me dejaste
la luz de tu mirada
alumbrando la angustia
que por siempre llevo
sembrada en mi alma;
mi canción para ti
siempre afrendaré.

El campo está florido
Telésforo Jaime

El campo está brindando
aromas y colores
los pájaros felices
se cuentan sus amores.

En el rocío del bosque
el cielo se retrata
y el murmullo del río
se nos mete en el alma.

Llegó la primavera
con su gran armonía,
las aves son un himno
de dulzura y alegría
el sol que duerme en los
rosales
entre los cafetales
despierta una ilusión.

Mil recuerdos que vagan sin
cesar
cual paisajes en flor,
primaveras de luz
dentro de mi canción,
cuántas veces si triste es el
vivir
me regalan su amor fiel
y cuanta fe dan a mi corazón.

El diablo suelto

L: Enrique Hidalgo
M: Eraclio Fernández

Recoge este muchacho, por
allá anda el diablo suelto
y lleva entre sus cachos al
hijo de Ruperto
que Lucifer lo llaman,
Mandinga, varios nombres le
dan
que lo han visto en Carora,
también
que lo han visto en San Juan.
Coge la cruz de palma real,
sin vacilar ponte a rezar
agarra bien un puño'e sal,
también agua bendita,
y no te pongas a temblar, a
lloriquear sin más que hacer,
porque el placer del diablo es
asustar y hacerte correr.
No vayas a pensar que con
ron y tabaco
lo podrás espantar, porque le
gusta a ese diablo
beber, también fumar; corre,
brinca, salta,
que el diablo suelto te puede
agarrar.

El maestro Rafuche

En esta noche clara
yo te vengo a cantar,
vas a escuchar un vals
del estado Falcón.
Vas a oír cómo suena
la guitarra coriana,
la tambora serrana,
sentada frente al mar.

Vas a escuchar un vals
del maestro Rafuche,
vas a escuchar un vals
del Estado Falcón.

En la primera canto
bajo el claror de la luna,
en la segunda canto
al viejo medanal,
con toda la tristeza
lloraban los cujíes
en medio de una tuna
que yo mismo sembré.

Epa, Isidoro

Billo Frómeta

Epa, Isidoro
buena broma que me echaste
el día que te marchaste
sin acordarte de mi serenata.

Epa, Isidoro

97

cuando vuelvas por Caracas,
explícale a las muchachas
que te fuiste lejos, sin decir
adiós.

Sigo pensando
que ese viaje tuyo no era
necesario,
ahora que Caracas
está celebrando
cuatricentenario.

Epa, Isidoro
por las calles de los cielos
en tu coche roto y viejo
la cuerdita nuestra te
recordará.

Esta noche serena
Rec: Vicente E. Sojo

Esta noche serena sin luz de
luna
te contaré mis penas, una por
una,
porque tú eres mi cielo, yo tu
lucero,
que por ti me desvelo, que por
ti sufro,
que por ti muero.

Las cuerdas de mi lira
alborozada,
preludian armonías en la

alborada,
para que en ritmo suave y
enternecido
el arpegio insinuante llegue a
tu oído,
llegue a tu oído.

Abre niña las hojas de tu
ventana,
abre, y verás los campos de la
mañana,
asomado a la loma ya viene el
día,
¿por qué tú no te asomas,
amada mía?
amada mía.

Asómate a la reja, quiero
mirarte,
como el cielo a la estrella
quiero adorarte,
porque tú eres mi cielo, yo tu
lucero,
que por ti me desvelo, que por
ti sufro,
que por ti muero.

Flor de loto
L: Luis F. Ramón y Rivera
M: Juan de Dios Galavís

Bella ilusión que despiertas
mi voz
mágica flor de un remoto

país,
toma mi amor, mi fe, mi luz
toma mi vida y mi corazón.
(Bis)

Soñar, vagar, cantar a tu amor
y a tu mirar,
yo sólo sé ceñirme a tu vida y
tu pasión,
ansío en ti la dulce canción
que alienta mi voz.

Soñar, morir si tú lo quieres
así,
como se muere el sol lejano
en el matiz. (Bis)

Ya esta pasión no cabe en mí,
adiós, adiós, ¡oh extraña flor!
(Bis)

Frente al mar
Eduardo Serrano

Frente al mar, junto a ti,
bajo el sol tropical,
te entregué todo mi gran
amor,
bañado por la luz de tu dulce
mirar.
Allí nuestras dos almas
unidas frente al azul lejano,
bajo la sombra humilde
que nos daba aquel uvero

anciano
nos juramos eterno cariño y
amor
teniendo por testigo
la arena de la playa,
el baile de las palmas
la sonrisa del sol.

Juramento
J.A. López

Hice una vez el juramento de
no amar,
pero lo hice no pensando que
un amor
le hiciera tanto daño a mi
corazón,
que mi juramento al fin se
borró. (Bis)

Porque al fin encontré un
dulce amor
y yo me enamoré con ilusión
de una mujer
que fue toda pasión, idilio y
frenesí
y así mi juramento se rompió
y yo me enamoré.

Nunca había pensado en tener
amor,
todo era mentira, todo era
ilusión.

Las bellas noches de Maiquetía

Pedro R. Arcilla

Las bellas noches de
Maiquetía
en mi memoria se grabarán
será un consuelo a mis
tristezas
que allá en Caracas se
olvidarán.

Tus bellos ojos que me
miraron
siendo tan bellos he de
olvidar,
fueron ingratas ya sus
miradas
que no quisiera ni recordar.

Ojos de cielo plenos de luna,
ojos de cielo plenos de sol,
cuyas miradas ya se han
borrado
de los recuerdos del corazón.

Ya no me miran tus claros
ojos
ya tus miradas no brillan más,
pues se han perdido como la
espuma
que allá en la playa dejará el
mar.

Las flores que me diste

Rec: Vicente E. Sojo

Las flores que me diste
cuando me amabas
se secaron al soplo
de tu inconstancia
y todavía, y todavía
eres tú la esperanza
del alma mía.

Las dulces ilusiones
que eran mi encanto
volaron al impulso
del desengaño
y todavía, y todavía
eres tú la esperanza
del alma mía.

La promesa que hiciste
de amarme siempre
se disipó en el aire
cual humo leve,
y todavía, y todavía
eres tú la esperanza
del alma mía.

Hasta que mi alma vuele
lejos del mundo
pronunciarán mis labios
el nombre tuyo,
y hasta ese día, y hasta ese día
serás tú la esperanza
del alma mía.

Lejanía
Luis F. Ramón y Rivera

Del paisaje de mi ayer
serena suavidad de mi vivir,
un nombre, un adiós,
prolongan su dulzor en mí.

Tiempo breve del amor,
hermosa plenitud del corazón,
¿por qué se pierde
en la penumbra del dolor?

Lejanía... lejanía,
no hay caminos para el ansia
de volver a ti,
y mi dulce melodía
a otras playas va a morir.
(Bis)

Lluvia
Luis G. Sánchez

Extasiado en mis recuerdos,
contemplando la lluvia caer,
en un invierno copioso
grandes nubes se ven
ascender.

La tarde se ha vuelto bruma
con neblina muy tupida
y es el cielo un manto gris
sobre el espacio sin fin.

Muy lejos de mi ambiente,
pensando en mi lago,
en la ciudad que un día me
viera nacer,
la lluvia tenaz sigue, inunda
los campos,
en la tarde andina sin sol y sin
luz.

Todo es sombra ya,
es la noche que llegó
y la lluvia prosigue más fuerte
y trae a mi alma nostalgia
sutil.

Margarita
Dámaso y Pascual García

Margarita, tus playas
soñadoras,
invitan al amor y al placer,
tu bello y dulce nombre de
mujer
se viste de bellísimas auroras.

Tus mujeres, perlas y corales
le dan al poeta inspiración,
bendito sea por siempre tu
terrón,
nidales de paloma y turpiales.
(Bis)

Ave María, tierra espartana,
color de grana, tus hembras

101

son,
eres cual rosa que se engalana
bajo el idilio de una pasión.

Aunque tus campos seque el
estío,
siempre conservas alguna
flor,
flor de esperanza donde el
rocío
imprime terso beso de amor.

Mayra
Rafael Montaño

Para mí
como una princesita,
Mayra querida,
eres tú;
bajaré para ti
todas las estrellitas,
la luna llena
y el cielo azul. (Bis)

Y tejeré
con mi cariño santo
un delicado manto
que te pueda cubrir.
Sólo viviré
para alumbrar tu senda,
porque eres bella prenda
que tengo en existir. (Bis)

Noche de amor
Amílcar Segura

Yo quiero que esta noche
no la olvides,
ya que nunca jamás
la olvidaré,
noche en que se juntaron
nuestros labios
y por primera vez
yo te besé. (Bis)

Noche de amor,
de lágrimas y besos
que entre llorando
me dijiste adiós,
y que llevo prendida
aquí en el alma
como promesa
eterna de los dos. (Bis)

Mañana cuando lejos
yo me encuentre
y por dolor de ausencia
tú reproches,
piensa que como hoy
te estaré enviando
besos entre la brisa
de la noche. (Bis)

Noche y soledad
Oswaldo Oropeza

Luna tras la cumbre
alumbras la noche de mi
soledad,
soledad desierta,
penas en mi alma,
gaviotas y mar.

Colinas benditas,
tú fuiste testigo
de un amor sensual.

El árbol que un día
tu nombre y el mío con
sangre grabé,
hoy está marchito porque tú
no vuelves,
muere de vejez.

Titilar de cocuyos
que van dejando,
impresión de mechuzos
agonizando
chubasco que en la noche
va despertando, va
despertando,
de su sueño al lucero
madrugador.

Llanero que amaneces
pasillaneando, pasillaneando,
en lomos del caballo
caracoleando, caracoleando,
rebaños de ganado
que van dejando, que van
dejando
como pasos las horas junto al
recuerdo
con la ilusión. (Bis)

Pasillaneando
José La Riva

La luna en el sendero
me iluminaba,
y en el fondo del caño
se reflejaba,
recordando tus ojos
que me miraban, que me
miraban
y aquellas notas tristes
de tu canción.

Preciosa merideña
Pedro J. Castellanos

Linda mujer, escucha este
poema:
mi corazón lo invade una
pena,
oye mujer, preciosa merideña,
nunca pensé darte mi corazón.
(Bis)

Y la suave caricia de la sierra
se acerca hasta tu rostro tan
puro y virginal;
fue en la Plaza Bolívar,
merideña,
donde juré no dejarte de
amar.

Puerto La Cruz
Alí J. García

A la orilla del mar,
debajo de un cielo azul,
con su ambiente oriental
está Puerto La Cruz.
Su preciosa bahía
que es una ensoñación
invita a deleitarse
con su suave brisa
en el Paseo Colón. (Bis)

Puerto La Cruz,

pedacito de cielo,
Puerto La Cruz,
rinconcito oriental.
Todo aquel que a ti llega
se llena de recuerdos
y jamás en la vida
te podrá olvidar.

Todo aquel que a ti llega...

Quinta Anauco
Aldemaro Romero

Te descubrí de frente al sol,
con la mirada del amor
eras la luz, eras la paz,
con la mirada del amor
te enamoré, me enamoré,
con la mirada del amor
te di un color para mi piel
y un nuevo modo de querer
todo empezó con la mirada
del amor.

Tu primavera despertó,
con la mirada del amor
todo mi llanto se secó,
con la mirada del amor
nos aprendimos a querer,
con la mirada del amor
y descubrimos la verdad
que estaba oculta entre los
dos,
todo empezó con la mirada
del amor.

Cuando mi amor te conoció,
se iluminó tu juventud
cuando mi amor te enloqueció
tú comenzaste a ser tú,
hoy que se apaga la locura
consentida
yo te cambio por mi vida
lo que queda de tu amor.

Rosa gentil
Lorenzo Herrera

Rosa gentil, reina del rosal
rosa gentil, flor primaveral
tu belleza y tu candor
adornan el rosal en flor.

De todas las rosas del jardín
eres la más hermosa,
y entre madreselvas y jazmín
tú reinas orgullosa,
de radiante aurora tienes el
color
y de tu perfume una ilusión.
(Bis)

Rosario
L: E. L. Rodríguez
M: Juan V. Torrealba

Pasaste ayer, como brisa
fugaz
y me quedé con tu dulce
mirar

después te vi una clara noche
cerca de mí, como llama de
amor.

Rosario, toda la luz del
mundo
parece que se fundiera en ti.
Te vi pasar como rumor
viajero
y quise hablar para decir
"te quiero".

Rosario, eres rayo de luna
que pasa queriendo florecer.
Rosario, provoca
mi vida, besar tu boca.

Sombra en los médanos
R. Sánchez López

Bajo el claror de la luna,
sobre las tibias arenas,
entre cardones y tunas,
un chuchube modula un
cantar.

De otros distantes paisajes
surge un concierto de besos,
es el mar que con su oleaje
viene a la playa a besar.

Los cujíes lloran de dolor
en mi vida mustia de esperar
las caricias de un lejano amor
que ha sombreado mi

peregrinar
y en la ruta que marca el
destino
sobre las arenas que estera el
camino
dolorosamente se alarga mi
sombra
sobre el medanal. (Bis)

Tarde gris
Oswaldo Oropeza

La tarde gris y el cielo azul
fueron testigos
del beso tibio que te di en el
morichal
fue Taiguaiguay, laguna azul
que contemplaba
aquella escena de ternura y
felicidad. (Bis)

Tarde gris, después se fue y
no volvió
sólo tu recuerdo y
Taiguaiguay lo vivo yo. (Bis)

Tardes de Naiguatá
Eduardo Serrano

Tardes de Naiguatá que
cuando el sol se aleja
la arena de la playa con su luz
va tiñendo de plata

y lejos del azul, las aguas
dormidas
parecen que murmuran una
oración de amor. (Bis)

En su triste remanso lleno de
paz
la tarde moribunda encuentra
soledad.
En la canción de cuna de sus
aguas dormidas
arrulla su celaje la tarde que
se va.

Tu amor fue una ilusión
Lorenzo Herrera

El amor que me juraste un día
con inmensa y loca pasión
fue como una nube pasajera,
fue tan sólo una ilusión.

Un día quizás me quisiste,
quizá un día tuyo fue mi
querer
dime de una vez si me
fingiste
o no te supe merecer.

Creyendo en tus promesas
mi corazón un día te entregué,
sin pensar que tu cariño
verdadero nunca fue.

Ahora me encuentro triste
después de oir tu
determinación,
sólo te pido que nunca olvides
que yo te amé con todo el
corazón.

El amor que me juraste un día
con inmensa y loca pasión
fue como una nube pasajera,
fue tan sólo una ilusión.

Tus caricias de ayer se
quedaron
muy dentro de mi corazón,
porque tú te fuiste, vida mía,
sin decirme una razón.

Creyendo en tus promesa...

Valencia
L: E. L. Rodríguez
M: Juan V. Torrealba

Valencia, la novia del sol
tu lago con luna de abril
parece un espejo de Dios,
ciudad la más gentil.

Igual a tu límpido azul,
la gracia de cada mujer
ofrece un manojo de luz,
ciudad de mi querer.

Valencia es cantar y florecer
bendiga Dios el valenciano
sol.
Valencia es amar sin padecer,
bendiga Dios el valenciano
amor.

Vesperal
Jesús R. Vargas

Las gaviotas vuelan tras la
estela
de mi barco en la tarde
triunfal;
las estrellas prenden en el
cielo
sus farolas que brindan al
mar.

Y la luna se asoma tendiendo
su sonrisa para iluminar
a las olas que vienen tejiendo
tu recuerdo en mis ansias de
amar.

El mar habla de amor
y su voz alegra mi vivir,
cantando esta canción,
corazón, estoy cerca de ti.
(Bis)

107

Vives en mí
Rafael Montaño

Tú... me das ingratitud
mientras te ofrezco amor, con
pasión.
Tú... tu indiferencia cruel
me hace padecer y pierdo la
razón.

Siempre recuerdo
tus grandes ojos
que me miraron

y acaricié;
guardo en mis labios
la huella ardiente
de tu besar, de tu querer.

Tu hermosura,
tu frágil hermosura,
es toda mi locura
y mi gran padecer.
¡Cómo lloro!
si vieras cuánto añoro
aquel caudal de besos
que vivirá en mi ser.

Canciones

Alfonsina

Por la blanca arena que lame
el mar
tu pequeña huella no vuelve
más,
un sendero solo de pena y
silencio llegó
hasta el agua profunda,
y un sendero solo de penas
mudas llegó
hasta la espuma.

Sabe Dios qué angustia te
acompañó,
qué dolores viejos calló tu
voz,

para recostarse arrullada en el
canto
de las caracolas marinas,
la canción que canta en el
fondo oscuro del mar
la caracola.

Te vas Alfonsina con tu
soledad,
qué poemas nuevos fuiste a
buscar,
una voz antigua de viento y
de sal
te requiebra el alma y la está
llevando
y te vas hacia allá como en
sueños

dormida Alfonsina vestida de
mar.

Cinco sirenitas te llevarán
por caminos de algas y de
coral,
y fosforescentes caballos
marinos harán
una ronda a tu lado,
y los habitantes del agua van
a jugar
pronto a tu lado.

Bájame la lámpara un poco
más
déjame que duerma, nodriza,
en paz
y si llama él no le digas que
estoy
dile: Alfonsina no vuelve.
(Bis)

Angelitos negros
Andrés Eloy Blanco

Pintor nacido en mi tierra
con el pincel extranjero,
pintor que sigues el rumbo
de tantos pintores viejos.

Aunque la Virgen sea blanca
píntame angelitos negros,
que también se van al cielo
todos los negritos buenos.

Pintor que pintas con amor
¿por qué desprecias su color
si sabes que en el cielo
también los quiere Dios?

Pintor de santos de alcoba,
si tienes alma en el cuerpo,
por qué al pintar en tus
cuadros
te olvidaste de los negros.

Siempre que pintas iglesias
pintas angelitos blancos
pero nunca te acordaste
de pintar un ángel negro.

Pintor que pintas con amor...

Anhelos
Manuel E. Pérez Díaz

Te quiero con tanto cariño
que vivo soñando despierto
y forjo en mis sueños castillos
que se me deshacen al soplo
del viento.

Sin ti yo soy puerto sin calma,
poeta sin musa y sin lira,
canción que se queda
escondida
en la voz callada, sin labios,
del alma.

Anhelo tu amor como un niño
que sueña en su noche de
Reyes
y en muda oración te lo digo
que no lo consigo, cómo
enternecerte.

Te busco, no logro
encontrarte,
no llegas por más que te
espero,
estás en mi ser tan distante
como las estrellas que
adornan el cielo.

Triste es vivir como yo sin
esperanza,
es naufragar con el puerto en
lontananza,
es apurar el sabor de amargas
hieles,
cuando se está, como yo
estoy, muriéndome de sed.

Ven a alegrar con tu amor mi
pesadumbre,
noche sin luz, necesito de tu
lumbre,
árbol sin flor, por milagro de
tus ojos
haz que un botón venga a
adornar
mi estéril corazón.

Arpa
Eduardo Serrano

Arpa... arpa
la prieta más buenamoza
y alegre que hay en mi
pueblo.

Te quiero porque te quiero
porque naciste en el llano
(Bis)
junto a la palma moriche
con su bailar provinciano.

Arpa... arpa
el cascabel de tus tiples
siembra la risa en mi tierra.

No hay noche como mis
noches
ni luna como mis lunas (Bis)
cuando al arpegio del arpa
siembra rizos en lagunas.

Arpa... arpa
la novia de las revueltas
y el corazón del yaguazo.

No hay pueblo como mi
pueblo
ni río como mi río (Bis)
ni un cantar que diga tanto
como el cantar del corrío.
No hay pueblo como mi

pueblo
ni un cantar como el corrío.

Canción de la Parima
Rec: H. Herrera de M.

Niña de ojos azules,
color de cielo
mira cómo se hunde
bajo la alfombra tu pie ligero.

Mi barquilla veloz deja la
arena
por venir a cantar bajo tu reja.
Flor peregrina, flor peregrina
que estás en las márgenes de
la Parima. (Bis)

En la puerta del cielo
venden hallacas
veinticinco por medio, ja, ja.
¡Ay! vida de la vida, puí, puí
prenda del alma y una de
ñapa.
En la puerta del cielo
venden un toro
con los cachos de plata, ja, ja.
¡Ay! vida de la vida, puí puí
prenda del alma y cascos de
oro.

Niña de ojos azules...

Canción venezolana
Vicente E. Sojo

Si de noche ves que brillan
titilantes las estrellas (Bis)
no es que brillan,
no es que brillan,
es que así se besan ellas,
es que así se besan ellas.

Si una nube vierte perlas
no es que llore, es que sube
(Bis),
es que sube y en el aire
siente el beso de otra nube,
siente el beso de otra nube.

Si en ti fijo la mirada
con ternura y embeleso (Bis),
no es que miro,
no es que miro,
es que mi alma te da un beso,
es que mi alma te da un beso.

Casas de cartón
Alí Primera

Qué triste se oye la lluvia
en los techos de cartón;
qué triste vive mi gente
en las casas de cartón.

Viene bajando el obrero
casi arrastrando los pasos

111

por el peso del sufrir;
mira que mucho es sufrir,
mira que pesa el sufrir.

Arriba deja a la mujer
preñada,
abajo está la ciudad
y se pierde en su maraña.
Hoy es lo mismo que ayer;
es su vida sin mañana.

Ay, cae la lluvia
viene el sufrimiento,
pero si la lluvia pasa,
¿cuándo pasa el sufrimiento?
¿Cuándo viene la esperanza?

Niños color de mi tierra
con sus mismas cicatrices,
millonarios de lombrices.
Por eso
qué triste viven los niños
en las casas de cartón.
Qué alegres viven los perros,
casa del explotador.

Usted no lo va a creer,
pero hay escuelas de perros
y les dan educación
pa' que no muerdan los
diarios.
Pero el patrón
hace años, muchos años
que está mordiendo al obrero.

Qué triste se oye la lluvia
en las casas de cartón,
qué lejos pasa la esperanza
de los techos de cartón.

Coplas

Yo vengo regando flores
por todo el camino real,
regálame tus amores
para venirte a buscar. (Bis)

Se van, se van,
mis ojitos negros,
se van, se van, se van,
yo también me voy con ellos.
(Bis)

La sortija que me diste
la mañana del Señor,
floja me quedó en el dedo
y apretada en el amor. (Bis)

El que se roba un pilón
y una piedra de amolar
no se pué llamar ladrón
sino guapo pa' cargar.

Suéltala pa' que se defienda,
suéltala que ella baila sola.
(Bis)
La voy a soltar, la voy a
soltar,
pa' ver si mi negra ya sabe
bailar.

Allá en el fondo del mar
tiraste mi corazón,
ayúdamelo a buscar
que por ti muero de amor.

Coquivacoa
Alí Primera

Pare, primo, la canoa
que me parece que llora
la chinita allá en la orilla
que no es una pesadilla,
despierto tú puedes ver
que somos nosotros los
que lo estamos matando. Sí.
¡Qué molleja, primo!
tan cristalino que estaba el
lago ayer,
no es el palafito
lo que está matando todo lo
que hay en él.

Pare, primo, la canoa
que me parece que llora
el pescador allá en la orilla
si le matan la semilla.
¿Quién la vida le dará?
No hay flores en la ribera
sólo peces muertos hay
¡Qué molleja, primo!
tan cristalino que estaba el
lago ayer,
no es el palafito

lo que está matando todo lo
que hay en él.

La guitarra enamorada de
Armando,
llorando su cocotero
cuando en la rada
se puso negro el lago
estando azulito el cielo.
La inocencia no mata al
pueblo
pero tampoco lo salva,
lo salvará su conciencia
y en eso me apuesto el alma.

Cumpleaños feliz (1)
Luis Cruz C.

Hay que noche tan preciosa
es la noche de tu día,
muestran todos su alegría
de esta edad primaveral.

Tus más íntimos amigos
esta noche te acompañan,
te saludan y desean
un mundo de felicidad.

Yo por mi parte deseo
lleno de luz este día,
todo pleno de alegría
en esta fecha natal.

Y que esta luna plateada
brinde su luz para ti,
y ruego a Dios porque pases
un cumpleaños feliz.

Cumpleaños feliz (2)
Hernán Gamboa

Feliz cumpleaños,
cumpleaños feliz
es lo que deseamos
todos para ti. (Bis)

Que las estrellas del cielo
brillen más en este día
y que los pájaros brinden
su canto con alegría.

Feliz cumpleaños...

Como sencillo homenaje
te traje flores del campo
en un ramo de cariño
recibe todo mi canto.

Feliz cumpleaños...

Llegamos para tu fiesta
tus compañeros de escuela
y cantaremos alegres
cuando apaguemos las velas.

Feliz cumpleaños...

Cunaviche adentro
Alí Primera

Va cabalgando el llanero
oliendo a sudor de vaca
y al cafecito negro
que bebió de madrugada,
va cabalgando el llanero.

Lo acompaña su tonada
cuando le canta a la luna,
cuando la luna tiene agua
huele a no sé qué la brisa;
se pone a ladrar el perro.

Ya va llorando el llanero
aunque lo escuchen cantar,
canta el gallo en la mañana
pero nadie ha averiguao
cuándo es que está triste el
gallo;
cabalga siempre el llanero,
llorando siempre el llanero.

Chapoteando en el estero
una bandada de corocoras
que se eleva hiriendo al cielo
vuelve más triste al llanero.

El le canta a la tristeza
que en caney se metió,
nunca la puede sacar
porque la lleva por dentro;
el llanero canta y llora
el llanero canta y cabalga,

Cunaviche adentro,
Cunaviche adentro.

Y su tonada dulcita
como agua de tinajero
pa' endulzar su café negro
aunque no endulce su vida,
y va llorando el llanero.

Cunaviche adentro,
llorando el llanero,
Cunaviche adentro, rastrojo
adentro,
su suelo, llorando hasta el
sombrero
o el caballo
adentro, llanero, adentro,
sufrimiento adentro.

Llorando hasta el sombrero
llorando el llanero
adentro, Cunaviche adentro,
llanero adentro, llanero
adentro.

Llorando el llanero,
sufriendo el llanero,
Cunaviche adentro,
Cunaviche adentro,
llorando el llanero,
sufriendo sus tierras,
llorando su sueño,
Cunaviche adentro,
rastrojo adentro.

Fúlgida luna
Rec: Vicente E. Sojo

Fúlgida luna del mes de
enero,
raudal inmenso de eterna luz,
a la insensible mujer que
quiero
llévale tiernos mensajes tú.

Búscala y dile que ni un
momento,
desde que el hado nos separó,
no se me quita del
pensamiento
ni se me borra del corazón.

Ella es trigueña de negros
ojos
de talle esbelto y de breve pie,
de blancos dientes y labios
rojos,
la más risueña y hermosa es.

Fúlgida luna del mes de enero
dile a mi amada cuánto sufrí,
que no me olvide, porque me
muero,
que me perdone si la ofendí.

Lucerito
Luis M. Rivera

Lucerito del alba
con tus destellos de amanecer.
(Bis)

¡Ay! quién pudiera, lindo
lucero,
con toda mi pasión
y con todo mi amor
tejer de tu luz hermosa
una trenza de luz pura
para adornar la figura
de mi morena graciosa. (Bis)

Mi lucerito ¡ay! quien
pudiera.
Mi lucerito ¡ay! quien
pudiera.

Lucerito del alba...

Motivos
Italo Pizzolante

Una rosa pintada de azul
es un motivo,
una simple estrellita del mar
es un motivo;
escribir un poema es fácil
si existe un motivo
y hasta puede crear mundos
nuevos

en la fantasía.

Unos ojos bañados de luz
son un motivo,
unos labios queriendo besar
son un motivo,
y me quedo mirándote a ti
y encontrándote tantos
motivos,
yo concluyo
que mi motivo mejor eres tú.

Noches larenses
Juan R. Barrios

La noche está tan bella
todo es silencio y calma,
se nos deleita el alma,
con luz de las estrellas.

La luna candorosa
se filtra en el jardín
y acaricia las rosas
que perfuma la brisa
y embellece el jazmín.

Quisiera ser la brisa,
quisiera ser jardín,
contemplar tu sonrisa,
ser rosa, ser jazmín.

Ser la noche callada
de misterios sin fin,
y dormir a mi amada

con la armonía plateada
de un arpa y un violín.

Pájaro chogüí

Cuenta la leyenda que en un
árbol
se encontraba encaramado
un indiecito Guaraní,
que sobresaltado por el grito
de su madre perdió apoyo
y cayendo se murió,
y que entre los brazos
maternales
por extraño sortilegio
en chogüí se convirtió.

Chogüí, chogüí, chogüí,
chogüí
cantando está, mirando acá,
mirando allá, volando se
alejó.
Chogüí, chogüí, chogüí,
chogüí
qué lindo es, qué lindo va,
perdiéndose en el cielo azul
turquí.

Y desde aquel día se recuerda
a un indiecito cuando se oye
como un eco a los chogüí,
es el canto alegre y
bullanguero
del precioso naranjero

que repite su cantar,
salta y picotea las naranjas
que es su fruta preferida
repitiendo sin cesar:

Chogüí, chogüí...

Serenata
Manuel E. Pérez D.

Mi canción de amor
viene a turbar la calma y el
silencio
y mi pobre voz
alzándose en la noche te
despierta.

Debes perdonar
y comprender mi corazón tan
necio
que por arrullar
el sueño de tus ojos, te
desvela.

La luna en el azul oyendo está
mi ardiente serenata
y de la noche el tul rasgando
va
con su puñal de plata,
para bañarte en luz cuando
asomada
a tu balcón florido,
escuches al osado cantor
enamorado

117

que tu sueño turbó con su
gemido.

Sueño caraqueño
Billo Frómeta

Han cambiado a mi Caracas,
compañero,
poco a poco se me ha ido mi
ciudad;
la han llenado de bonitos
rascacielos
y sus lindos techos rojos ya
no están.

Los pasteles de Tricás
después de misa,
el Pam-Pam de Gradillas a
Sociedad,
los vermouth los domingos
por la tarde,
donde toda la cuerdita iba a
bailar.

Se acabó la media lisa de
Donzella,
Jaime Vivas y el Trianón se
fueron ya;
ni la India ni la Francia y la
Atarraya,
Perecito en Palo Grande ya no
están.

Ya no quedan ni el Roof
Garden ni la Suiza;
el frontón de Jai-Alai no
existe ya;
las muchachas ya no van por
la Planicie
y a los Chorros casi, casi
nadie va.

Tobogán

En las noches de luna se ven
caprichosas sus aguas correr,
y el embrujo de miles de
estrellas
que van a bañar su piel de
cristal.

Tobogán, Tobogán,
majestuosa belleza sin par,
Tobogán, Tobogán,
este mundo no tiene otro
igual.
Caprichoso y sutil
la natura te supo picar,
escogiendo entre toda la tierra
el sitio más bello,
mosaico ideal,
y dejándote allá en
Amazonas,
enclavado en su selva,
bello Tobogán.

Tu partida
Augusto Brandt

Yo sentí los rigores de una
herida
al saber que de mí ya te
alejabas
y en mi recuerdo, romántico
anidaba
el espectro glacial, glacial de
tu partida.

No te imaginas cuán sufrí en
tu ausencia;
fue un crudo invierno sobre el
alma mía
y al sentir el rigor de tu
inclemencia
fue una pena tenaz, tenaz,
cruda y sombría.

Por qué partiste sin decirme
nada,
sin ti mi vida es triste y
pesarosa;
es un cielo si luz, sin
alborada;
es un jardín sin pájaros ni
rosas.

Es un cielo sin luz, sin
alborada;
es un jardín sin pájaros ni
rosas.

Venezuela
Carlos Almenar Otero

Venezuela, tierra linda donde
yo nací,
me inspiras tú esta canción
que canto para ti.
Venezuela, tierra linda llena
de pasión,
si estoy lejos de ti, sufre mi
corazón
la nostalgia de volver.

Es tu cielo encantador
y tus llanos sin fin,
donde el sol con su resplandor
siembra fuego y verdor.
Y tu historia noble y viril
que te dio libertad,
orgulloso quiero cantar
con mis coplas llenas de
amor.

Venezuela, tierra linda...

Tus hermosas mujeres son
fuente de inspiración,
el amor en un beso dan
con dulcísimo ardor;
un recuerdo yo llevo en mí
de un romance feliz
que quisiera otra vez vivir
y jurar nunca más partir.

Otras

A la una
(Son Infantil)
L: Aquiles Nazoa
M: Iván Pérez Rossi

A la una la luna
a las dos el reloj;
que se casan la aguja
y el granito de arroz.

A la una mi niña
se me puso a llorar,
porque el pobre meñique
se cayó del dedal.

A la una la novia
con el novio a las tres,
en la cola, la cola
del pianito marqués.

Y se van a la una
en su coche a las tres.
-Caballito de lluvia
cochecito de nuez.

Alma coriana

Yo nací una mañanita
a orillas de un cardonal
y mecieron mi cunita
un chuchube y un turpial.

Me crié con leche de chiva
con lefarias y con datos
soy como la siempre viva
hiero como el ñaragato.

Por eso mi alma es coriana
cual la tuna y el cardón
como mi árida sabana
y mi bello marecón.

Yo no le temo al verano
ni mucho menos al invierno
porque todo el que es coriano
no le teme ni al infierno.

Araguaney
Luis F. Ramón y Rivera

Araguaney palo duro
Araguaney
Araguaney amarillo
Araguaney.

Al que no sepa mi nombre
se lo voy a deletrear
de Aragua tengo el principio,
del llano la capital.

Mono no sube guamacho
ni guacharaca la flor,
a palo que no florea
no le canta el cigarrón.

Pa' que sepa, le contaré
pa' que tenga le buscaré,
y si quiere voy con usted
y le digo soy el Araguaney.

Arena de caracoles
G. Mejías Palazzi

Arena de caracoles que la
palmera
meciéndose entre la brisa se
lleva el mar,
que tras la estela tranquila de
una piragua,
se va alejando frente a la
playa de Porlamar.

Estrellita peregrina ¿de dónde
vienes?
dime si fue que te trajo algún
pescador
que rezando entre las noches
junto a sus redes
para su tierra pidió el encanto
de tu fulgor.

Arroyito de mi pueblo
Billo Frómeta

Arroyito de mi pueblo
que pasas murmurando
con tu carga de recuerdos
mis penas vas dejando.
En tu lecho de agua clara
mis besos se durmieron
y en la cercana mañana
de nuevo renacieron.

Arroyito, tú recordarás
el beso que, que le robé
cuando se fue
jurando que habría de tornar.
Arroyito de mi pueblo
que pasas por su ventana
y esperas en tu corriente
su regreso cantarás.

Arroyito de mi pueblo
¡qué solos nos dejaron!
la que hizo un juramento
se fue y no ha regresado.
En medio de tu corriente
mis penas van llorando,
en tu lecho de agua clara
mis besos se quedaron.

121

Así es Maracaibo
José Chiquinquirá Rodríguez

Cuando llegues a un puerto de
madrugada,
donde el barullo lleva hacia
lontananza,
el ritmo cadencioso de alguna
danza
que despide el boguero en la
ensenada.
Ese es Maracaibo cuando
amanece,
un puerto que ofrece toda la
gracia
que hay en su rada.

Y si atraído por el bullicio de
la ciudad
saltas a tierra a curiosear,
el vendedor te ofrece sus
chucherías
o el conductor te grita:
pa' las Veritas, pa' Nueva
Vía.
Así es Maracaibo en pleno
día,
es el ajetreo con que subiste a
la realidad.

Y si sientes deseos por las
afueras,
al escuchar un furro en el
saladillo
o el tararear de un verso con
su estribillo
de una música alegre,
dicharachera.
Así es Maracaibo en plena
noche
que muestra un derroche
de lo que es gaita
maracaibera.

Y si cuando zarpas del puerto
aquel
que te impresionó
sientes en el alma que algo te
embrujó,
fue el titilar nocturno de
Bellavista
o la imagen sagrada, muy
venerada, de la chinita.
A este Maracaibo, señor
turista
lo recordarás, al igual que yo.

Ausencia
Teófilo R. León

Vuela hacia ti mi verso
en canción convertido
a decirte en silencio
el amor que te di,
pues tú sabes, bien mío,
que tanto te he querido
que no puedo olvidarme
un instante de ti. (Bis)

Vivo con el recuerdo
de las horas tranquilas
que alegres la pasamos
hablándonos de amor.
Cuando solía mirarme
en tus claras pupilas
que alegraron mi vida
tan llena de dolor. (Bis)

Brisas del Torbes
(Bambuco)
Ramón y Rivera y
Luis Felipe

En las noches cantan
las brisas sobre el Torbes
es como flor de los Andes,
es como café de aquí.

Vengan todos cantando,
vengan todos riendo,
sobre colinas verdes
la paz del alma vuelve a mí.

Brisas del Torbes
verdes colinas donde nací.

Soy de los Andes,
soy todo corazón
soy como el ruiseñor
que canta y es feliz.

Yo no me voy de aquí
la montaña es mi flor

y flores como estas grandes
sólo hay aquí. (Bis)

Callecita de la Guaira
Billo Frómeta

Callecita de la Guaira
que aún vives el recuerdo,
cuando por ti pasaba
un marino español;
subidas y bajadas
pobladas de balcones
y estrechos callejones
que a nadie ven pasar.

La torre del vigía,
un viejo solitario
que cuida todavía
como en tiempos atrás
y alumbra tenuemente
tu suelo de empedrado,
tejiendo dulcemente
un sueño colonial.

Subida del Guamacho,
bajada de la Iglesia,
placita del mercado,
café de la estación.
Y cuando miro al puerto,
en la imaginación
yo siento, callecita,
que tienes la visita
de un galeón español.

Campesina (2)
José Reyna

Ven, campesina, al palmar
que te quiero cantar
a la orilla del río.
Ven y contempla el fulgor
de la puesta de sol
que nos llama al bajío;
que yo te quiero cantar
en mi alegre palmar.

Ven a escuchar mi cantar
que es más bello el palmar
que tu alegre bohío.
Ven con tu cuerpo de flor
a encender el fulgor
que se apaga en el río.
Con el aire y el sol
yo te quiero cantar.

La, la, la, la, la, la, la...

Ven campesina a mi amor
y recoge esta flor
de mi alegre cantar.

Canto de Guaraña
(Guaraña)
Rec: Un Solo Pueblo

La cultura popular
tiene amigos a montones
pero en ella se colean
los zorros y camaleones.

Pero en ella se colean
los zorros y camaleones
qué tristeza compañero
ay me dan esos señores.

Le dedico esta guaraña
con optimismo y amor
a los artistas del pueblo
los mejores del folklore.

A los artistas del pueblo
los mejores del folklore
en la guaraña se usan
cuatro, maraca y tambor.

En los valles de Altagracia
se canta la Marisela
y junto con la guaraña
los negros forman rochela.

Y junto con la guaraña
forman los negros rochela
cada vez que Juan Bautista
se antoja de ir a la escuela.

No voy a seguir cantando
pues me voy a reventar
le paso el turno a Ismael
pa' que pueda terminar.

Que pasen muy buenas
noches,
ese es mi mejor deseo

voy a parar la guaraña
para descansar los dedos.

símbolo eterno de Libertad.
(Bis)

Caracas (2)

Del Avila sultana,
tú heredaste
el nombre y el valor de
Los Caracas,
la heróica tribu de los indios
libres
que defendieron con amor la
Patria. (Bis)

Tienes la gloria de ser la cuna
de nuestro Padre el Libertador
admiración de los continentes
y el justo orgullo de la
Nación. (Bis)

Cada vez que celebras
jubilosa
con lujo y con honor tu
nacimiento,
te rinde culto Venezuela
entera
en cuerpo y alma y en su
pensamiento. (Bis)

Porque Caracas tú siempre
has sido
en la bonanza y adversidad
ciudad procera de hechos
cumplidos

Carúpano

(Galerón)
Rafael Montaño

Véndeme un pasaje, ñero,
que a Carúpano me voy
a comer sancocho'e mero
y guisao de morrocoy.
Es que yo quiero volver
para abrazar a mis gentes
y por sus calles, pariente,
andar una y otra vez.

Verdad, muchacho que es
bella
la forma de mi ciudad,
puerto con cerros atrás
y por norte mar abierto,
donde de noche susurran
las olas de una canción
y al atardecer el sol
de oro baña el ambiente,
haciendo juego imponente
con sus mujeres en flor.

Playa Grande, Guayacán,
botes cargados de peces
donde infinidad de veces
el hombre se echa a la mar.
No siempre ha de regresar
con su cosecha florida

pero sí con frente erguida
por su honrado laborar.

Las costas que te circundan
son patria de pescadores,
nietos de margariteños,
de la mar conocedores;
sus crestas son ensenadas
para el valiente marino;
el mar tiene mil caminos
y es mentira el naufragar;
para él el barco es hogar,
donde navega es jardín
y si en él ha de morir,
sin penas sabe marchar.

Ciudad Bolívar

Entre paisajes, matices,
primores y hermosuras
recuerdo con dulzura
una ciudad primaveral.
Sublime capital
de viejas callecitas
que lucen tan bonitas
junto a la capital.

Ciudad Bolívar
qué bellas son tus claras
noches en el paseo Colón,
bajo el suave manto
de la brisa, y el bello
paisaje al mirador,
mil recuerdos rompen
de alegría, al mirar tu río
como un sol. Eres tú linda
Ciudad Bolívar, ciudad
sensual
gran capital, Guayana mía.

Con real y medio

(Guasa)
L: Folklore
M: Iván Pérez Rossi

Con real y medio
compré una pava
y la pava tuvo un pavito
tengo la pava, tengo el pavito
y siempre tengo mi real y
medio.

Con real y medio
compré una gata
y la gata tuvo un gatico
tengo la gata, tengo el gatico
tengo la pava, tengo el pavito
y siempre tengo mi real y
medio.

Con real y medio
compré una chiva
y la chiva tuvo un chivito
tengo la chiva, tengo el
chivito
tengo la gata, tengo el gatico
tengo la pava, tengo el pavito
y siempre tengo mi real y
medio.

Con real y medio
compré una mona
y la mona tuvo un monito
tengo la mona, tengo el
monito
tengo la chiva, tengo el
chivito
tengo la gata, tengo el gatico
tengo la pava, tengo el pavito
y siempre tengo mi real y
medio.

Con real y medio
compré una lora
y la lora, tuvo un lorito
tengo la lora, tengo el lorito
tengo la mona, tengo el
monito
tengo la chiva, tengo el
chivito
tengo la gata, tengo el gatico
tengo la pava, tengo el pavito
y siempre tengo mi real y
medio.

Con real y medio
compré una perra
y la perra tuvo un perrito
tengo la perra, tengo el perrito
tengo la lora, tengo el lorito
tengo la mona, tengo el
monito
tengo la chiva, tengo el
chivito
tengo la gata, tengo el gatico

tengo la pava, tengo el pavito
y siempre tengo mi real y
medio.

Con real y medio
compré una burra
y la burra tuvo un burrito
tengo la burra, tengo el
burrito
tengo la perra, tengo el perrito
tengo la lora, tengo el lorito
tengo la mona, tengo el
monito
tengo la chiva, tengo el
chivito
tengo la gata, tengo el gatico
tengo la pava, tengo el pavito
y siempre tengo mi real y
medio.

Cosas de mi tierra
S. Antonieta Amazonas

Las cosa que hay en mi tierra
las compraron en el cielo,
acaso no han contemplado
las bellezas del estero
y la de la orquídea virgen
que se mira en un lucero,
en noche de luna llena
luna nacida en mi suelo.

No hay dolor que no se colme
ni alegría que se mengüe

cuando vibra cantarina
la voz del arpa llanera
porque tiene el alma blanca
como blanca son las alas
de las garzas que en las tardes
suspiran en la sabana.

Bellas cosas de mi tierra
cantar con ustedes quiero
con arpa, cuatro y maracas
las glorias del creador
quien me hiciera el mejor
don de haber nacido llanero.

Cruz de Mayo
(Fulía)
Juan A. Díaz

Ololelo lelolá
Santísima Cruz de Mayo.

En nombre de Dios comienzo
porque no había comenzao
porque no había comenzao
matan a los alabaos.

Entre lirios y claveles
llegando quiero cantar
para vestirse de flores
quiero el verso improvisá.

Un mañana de Mayo
se vistió con gran belleza
se juntaron las orquídeas

de viva naturaleza.

Yo le canto a mi Cumboto
para ti va mi deseo
tiene mucha gente buena:
Moro y el negro Mateo.

En toda mi costa bella
el pueblo canta fulía
porque nací en Ocumare
¡qué buena suerte la mía!

Oyeme Virgen del Carmen
que eres patrona e' La Boca
para ti canto fulía
que también a ti te toca.

Cuando no sé de ti
Chelique Sarabia

Cuando no sé de ti
te quiero mucho más
porque en sueños te vi
dos lágrimas brotar,
mis labios sin cesar
besarte más y más
y no sé qué sentí
al oirte decir,
temblando de emoción:
¡mi cielo, soy feliz!

Ya mi vida sin ti no puede
ser,
como mar sin coral, panal sin

miel;
el negro de tus ojos vi
y el roce de tu piel sensual
me quemará con un calor de
sol y mar.
Y en mi silencio yo escuché
el grito de tu corazón
susurrando con dulce voz de
manantial.

Vida, mi vida, cuánto sufro,
sufro cuando no sé de ti,
y al escribirme sé, mi amor,
que no vives sin mí
y que no olvidarás que estoy
pensando en ti.

De quién será
Enrique Hidalgo

Un llanero me decía:
la patria ¿de quién será?
porque dueños ya tenían
las tierras de sabanear. (Bis)
Y me lo decía cantando
con una copla altanera,
pues de ninguna manera
se lo van a perdonar.

Soldadito recluta
que ayer fuiste mi paisano,
hoy le cuidas las riquezas
a quien burla a tus hermanos.
(Bis)

Y te lo digo cantando
con una copla altanera,
pues de ninguna manera
me lo van a perdonar.

Un pescador me decía
este mar ¿de quién será?
porque barcos extranjeros
ya no dejan qué pescar. (Bis)
Y me lo decía cantando
con una copla altanera,
pues de ninguna manera
se lo van a perdonar.

Diversión margariteña
Folklore

Viene la gaviota
en forma de avión
viene preguntando
dónde está Falcón.

Viene la lorita
de la Cabecera
la vienen bailando
las niñas punderas.

En el medio de la playa
mataron un pavo real
y del buche le sacaron
las cintas del sebucán.

El clavelito blanco
Pedro Hernández

El clavelito blanco
que le diste a mi vida (Bis)
se murió con el tiempo
desde tu partida. (Bis)

Si me engañaste ayer
con tu falso cariño (Bis)
hoy llevo un padecer
por culpa de ese olvido. (Bis)

El clavelito blanco...

Los años han pasado
y no puedo olvidar (Bis)
aquel ingrato amor
que ayer me hizo llorar. (Bis)

El clavelito blanco...

Si vuelves a mi vida,
regrésate a mi lado, (Bis)
entrégame tu amor
que te estoy esperando. (Bis)

El clavelito blanco...

Yo nunca he comprendido
por qué tú te marchaste, (Bis)
cuando te quise más,
tinieblas me dejaste. (Bis)

El enamorao
Alberto Ortiz Arismendi

Yo soy muy enamorao,
como yo no existe otro
pues cuando miro una falda,
enseguida me alboroto.

Que sea viuda o divorciada,
solterita, qué más da;
con la que sí no me meto
es con la mujer casá;
pero a toditas las quiero
y aquí está mi gran verdad:
mi corazón es más grande
que casa de vecindad.

Yo soy muy enamorao...

Que pase de los dieciocho,
mi requisito a exigir
para no tener problemas
con el Código Civil.
Si ya cumplió los veintiuno,
entonces me siento rey,
pues eso me garantiza
que estoy de acuerdo con la
ley.

Yo soy muy enamorao...

Y si ya pasó los treinta,
el corazón se me alegra,
pues ya no tendré el fastidio

de sacar también la suegra.
De los cuarenta p'arriba,
qué más podía desear,
yo que soy tan muchachito:
que me termine de criar.

El llanero
G. Mejías Palazzi

El llanero a su mujer
igual que al chinchorro y
potro
no la cambia, no la vende
ni la comparte con otro.

Su cafecito en la hamaca
lo toma en la madrugá,
mientras el canto del gallo
pone en guardia a la manada.

Enlazando los caballos
al trote de su alazán,
va descubriendo el llanero
caminos de libertad.

El llano se está mojando
con agua de amanecer
y la sabana infinita
comienza a reverdecer.

Potranca, copla y estero,
talán, el alcaraván
y en el remanso del verso
los cascos del alazán.

El mielero
Billo Frómeta

Mielero de mi Caracas,
mielero de San José
que vendes una esperanza
en un poquito de miel.

Mielero de mil pregones,
mielero que se nos fue,
dejando en los corazones
un dulce canto de miel.

Por eso tienen dulce, dulce,
dulce
las muchachas,
tienen la boca dulce, dulce,
dulce
en Caracas. (Bis)

Cuántas cosas de Caracas se
alejaron
y en el alma su recuerdo le
dejaron:
pajarero del mercado en San
Jacinto
y el carbón de guayacán bien
tempranito.

Ya no vende por la calle el
dulcerito
el sabroso caramelo de palito,
menos mal que el mielero tan
risueño

dejó dulce la boca del
caraqueño.

A todas las caraqueñas
yo les voy a aconsejar
que prueben mi miel de
abejas
y así se podrán casar.

Caracas es una colmena
donde vive el caraqueño,
sin temores y sin penas,
siempre contento y risueño.

El negro José Dolores
Francisco Carreño

Al negro José Dolores
le robaron la tambora,
al negro José Dolores
le robaron la tambora
y está pidiendo a las ánimas
benditas del purgatorio (Bis)
que no le rompan los cueros
porque chivos no hay ahora.
(Bis)

Busca la tambora, José
Dolores
y no llores más,
mira que naciste, negro
zoquete,
para gozar. (Bis)

El negro no tiene vida,
ya no canta en los velorios
(Bis)
no quiere bailar el cumaco
ni cantar el mampulorio, (Bis)
parece que está en la luna
y es que no tiene tambora.
(Bis)

El pájaro guarandol
Folklore

De otras tierras he venido
navegando en un tablón
a ver si puedo matar al pájaro
guarandol.

No me lo mate no, señor
cazador
que este es el guarandol de mi
corazón.

Sí se lo mato sí, con mucho
rigor
porque fue a la planta y me
picó la flor.

No me lo mate no, señor
cazador
porque este guarandol no ha
picao la flor.

Ten cuidado pajarito de
extranjero cazador

porque si te pega un tiro yo
me muero de dolor.

Sí se lo mato sí, con mucho
rigor
porque fue a la planta y me
picó la flor.

Ya se fue mi alegría, se murió
mi guarandol,
o me lo cambian por otro o
me muero de dolor.

Yo curo ese pajarito,
miserable cazador,
con un poquito de aceite y
con un palito 'e ron.

Llora el perro por el hueso
con lágrimas de dolor
así lloraban los indios al
pájaro guarandol.

El pregón de
las margaritas
(Pregón)
José Reyna

Por las calles yo voy
pregonando
con mi cesta cargada de
flores,
fresquitas las traigo del prado
para aquellos que sufren de
amores.

El perfume que llevan mis
flores
tiene suaves recuerdos
pasados;
vendo flores; ¿quién quiere
comprarme
margaritas cortadas del
prado?

Van las bellas margaritas,
¿quién me las quiere
comprar?
frescas van las margaritas
para tu seno adornar.

Esta mañana temprano
eran adornos del prado
y las corté con cuidado,
no se podrán marchitar.
Van las bellas margaritas,
¿quién me las quiere
comprar? (Bis)

El San Pedro
Rec: Vicente E. Sojo

Si San Pedro se muriera
todo el mundo lo llorara,
por lo menos las mujeres
los cabellos se arrancaran.
(Bis)

133

Con la cotiza dale al terrón,
vuélvelo polvo sin
compasión. (Bis)
Dale pisón, dale pisón. (Bis)

El San Pedro de mi tierra
es un santo milagroso,
juega chapa con los negros
y descubre a los tramposos.
(Bis)

Con la cotiza...

San Pedro como era calvo
le picaban los mosquitos,
y su madre le decía:
Ponte el gorro, Peruchito.
(Bis)

Por la calle de mi barrio
corre el agua y no se empoza,
y por eso es que le llaman
la calle de las hermosas. (Bis)

Endrina

(Bambuco)
Napoleón Lucena

¡Ay! siendo tanto mi amor, tú,
tú lo quieres matar
mujer, por qué tienes dolor
a aquel que te ha sabido amar.

Se marchitaron las rosas
más no quisiera partir,
sin ti mueren las esperanzas,
sin ti yo no puedo vivir.

Adiós, mujer, adiós
la ausencia y el pesar me
seguirán
la dicha de los dos,
el sueño de los dos fenecerá.

Adiós, mujer, adiós
la ausencia de tu amor yo
sufriré,
si lo dispuso Dios,
si lo dispuso Dios yo partiré.

A dónde iré, a dónde iré,
proscrito de tu pasión,
si ayer no más con santa fe
me diste tu corazón;
mas si el desdén con su
impiedad
me hiere sin más perdón
yo, yo con piedad, te perdono
tu traición. (Bis)

Española

Eladio Tarife

Española,
dame un abrazo de hermano
con sabor venezolano
para yo decirte olé. (Bis)

134

Española,
mi maraca es castañuela
que repica en Venezuela
cuando te dicen: olé.

Oye mi canto tan tropical,
te lo repito en mi lugar.
Oye mi canto que es para ti,
que allá en España se canta
así.

Estrella del Orinoco

Como buscando un camino
la estrella miraba el río
mientras la luz de la tarde
al Orinoco caía.
Y la estrella sin destino
se fue volviendo paisaje
para dejar en Guayana
la eternidad de un mensaje.

Y fue cayendo la noche
tierra adentro en la sabana
dibujándose en la sombra
la selva venezolana.
Y aquella estrella sin rumbo
su sueño encontró en un
mundo
donde se duermen las flores
con canciones indias al
anochecer.

Galerón llanero
(Galerón)

Aguas que lloviendo vienen
aguas que lloviendo van.
Galerón de los llaneros
es el que se cantará. (Bis)

Sobre los llanos la palma,
sobre la palma los cielos,
sobre mi caballo yo
y sobre yo mi sombrero.

Ay, ay, ay , ay, no tire pa'llá
no jale pa'cá.
Ay, ay, ay , tierra del vivo sol
ay, ay, ay , ay, cuánto te
quiero yo.

Guanaguanare

En un copo de nubes
blanquecinas
en aquel horizonte mañanero,
(Bis)
y en un rayo de sol que la
ilumina
se ve morir a un lánguido
lucero. (Bis)

Vuela guanaguanare
picoteando
sobre las olas de la mar
serena

y un alcatraz lo va
acompañando
a recibir a la noche buena.

Tenue es la luz y alegre la
alborada
va volando un pájaro en la
sombra, (Bis)
y en el silencio y la quietud
del agua
parece oír su voz cuando me
nombra. (Bis)

Dile que yo lo espero en
Nochebuena
guanaguanare cantando una
canción. (Bis)
Tráela pa' que vea la mar
serena
que yo la espero allá en el
farayón.

Vuela guanaguanare...

Guantanamera

Yo soy un hombre sincero
de donde crece la palma,
(Bis)
y antes de morirme quiero
echar mis versos del alma.

Guantanamera, guajira
guantanamera.

Guantanamera, guajira
guantanamera.

Mi verso es de un verde claro
y de un jazmín encendido,
(Bis)
mi verso es un ciervo herido
que busca en el monte
amparo.

Guantanamera...

Con los pobres de mi tierra
quiero yo mi suerte echar,
(Bis)
el arroyo de la sierra
me complace más que el mar.

Guantanamera...

Guitarra larense

Un ramillete de flores
Barquisimeto te traigo yo,
me lo regaló el camino
cuando soñaba con tu región.

Tu paisaje es un romance
que por las tardes recoge el
sol
para llevarlo a la estrella
que a Lara duerme con su
canción.

Tus valles del Turbio,
tu Parque Ayacucho,
tus noches de estrellas
y mil cosas más
le dan a tu tierra
música y belleza,
mientras la tristeza
se convierte en vals.

Guitarra larense,
yo quiero cantar
enséñame un poco,
enséñame un poco
de tu capital,
y si un día la vida
me aleja de aquí,
a toda la gente,
guitarra larense,
le hablaré de ti.

Hoy he vuelto a llorar
Chelique Sarabia

Hoy he vuelto a llorar,
yo sé que es cierto;
he sentido brotar
lágrimas de muy dentro.

Y al sentirlas correr por las
mejillas,
les quise preguntar por qué
brotaron
y no pude saber cuál fue el
motivo

al secarme las lágrimas el
viento.

Perdido en la bruma
de tus ojos claros,
llenos de inquietud,
me aferro al recuerdo
de tu piel dorada,
bañada de luz.

Buscando en tus cosas
sobre una almohada
sólo conseguí
aroma de rostros
y aroma de llanto
de cuando me fui.

Hoy he vuelto a llorar
porque te sigo amando.

Indiecito paramero
Francisco Carreño

Indiecito paramero
con tu carita de viejo (Bis)
que vives vendiendo flores
que nacen de la montaña.
(Bis)

Transitas por los caminos,
te escondes en las cascadas
y te vas por los trigales
llevando el frío en tu ruana.
(Bis)

137

Indiecito campesino,
indiecito de mi tierra, (Bis)
dame el agua de tu fuente
para saborear tus penas. (Bis)

La bella del Tamunangue
(Tamunangue)
Folklore

De los pájaros del monte
cuál cantará más bonito
¡Ay! mi bella
a la bella, bella
a la bella va.

Me voy, me voy,
me voy de golpes no más.
Me dicen que el ruiseñor
tiene un cantar exquisito.

Ay mi bella, bella
mi bella va
palomita blanca
vení pa'cá.

No puedo cantar bonito
ya la voz se me acabó
será porque era tan bella
San Pablo se la llevó.

Ay mi bella, bella...

Volá, volá, volá paloma volá
ahora veremos si es verdad.
Niña dile al tamborero
que me aligere los sones
porque si tiene dos hijas
yo tengo dos corazones.

Ay mi bella, bella...

La potranca zaina
Juan V. Torrealba

Les contaré, señores,
la historia muy bonita
de linda potranquita
con ojos soñadores,
colita de caballo,
andar casi trotero,
de crines muy hermosas,
corría por los esteros.

Era una potra muy singular,
no conocía el amor,
no conocía el corral,
no conocía el bozal,
sólo quería vivir
por el palmar.

Era la potranca zaina
la flor de la llanura,
caballos y potrones
sufrían por su hermosura;
paseando en las sabanas
en las noches de luna,

coqueta se miraba
su sombra en la laguna.

La potranca al fin se descuidó
y un día primaveral,
a orillas del palmar
en mi lazo cayó,
la zaina así perdió su libertad.

No quiere el freno morder,
ni la montura llevar,
riendas no quiere sentir
ni que le pongan bozal
y cuando está en el potrero
oye silbar al gavilán,
se escucha a la potranquita
triste llorar.

Esa potra la voy a domar,
la enseñaré a querer,
la enseñaré a llevar
el freno y el bozal
y luego le daré
su libertad.

Las metras

(Marcha)
L: Jesús Rosas Marcano
M: Iván Pérez Rossi

Mi bolsa de metras
puesta frente al sol
es un racimito
de luz y color.

Esta bolondrona
se parece un cuento
al que Jesús Soto
se le metió dentro.

Yo vengo y las suelto
en la tierra plana
y es un arco iris
que se me desgrana.

Miren mi pegona
tiene en la barriga
una mariposa
de fuego dormida.

La rueda parece
como un universo
con todos los astros
puestos en el suelo.

Viendo como ruedan
las metras de vidrio
todo el mundo quiere
volver a ser niño.

139

Los antojos de Petronila

Alberto Ortiz Arismendi

Petronila, mi mujer,
ha tenido un embarazo
que por cumplir sus antojos
me ha hecho dar cada paso,
porque la gente me dice
que hay una cosa muy cierta:
si no cumplo sus antojos,
el muchacho que ella espera
vendrá con la boca abierta.

La otra vez se le antojó
el comer naranja china;
la pedía con vehemencia
cual si fuera medicina.
A la bendita naranja
por todas partes busqué;
¡mala suerte! no la hallé
y presintiendo su fin
para buscar la naranja
tuve que irme a hasta Pekín.

Petronila, mi mujer...

A España fui por un vino,
a Francia por un paté,
a Escocia fui por un whisky,
a Rusia por pluscafé,
a México la llevé
para un mariachi escuchar,
para luego regresar
pues quería un mango

y ahora voy a la Argentina
porque quiere bailar tango.

Petronila, mi mujer...

Ya está en la etapa final,
y yo de lo más tranquilo,
pues creí haber cumplido
con este antojado mal.
Pero ahora ha decidido
dar a luz allá en la Luna
y aunque escaso de fortuna,
me voy al Norte a las siete
a ver si puedo alquilar
allá en la NASA un cohete.

Petronila, mi mujer...

Los pregones

Rafael Rincón González

Va cantando el pregonero
vendiendo su mercancía;
son las cinco y el lechero
nos viene anunciando el día.
Alevántese señora
que se hace de mediodía,
la leche viene en los potes
con espuma de alegría,
la leche viene en los potes
con espuma de alegría.

Aquí llegó el panadero
(pan, pan, pan),
hay galletas y bizcochos

(marchante),
y atrás viene el mandoquero:
calentitas mis mandocas,
y atrás viene el mandoquero
gritando: de a tres por locha.

Llevo mangos, llevo piñas,
guineos y chririmoyas,
también traigo yemas frescas,
gallinas cortás y pollos.
Panorama, Panorama
con las últimas de hoy:
un hombre que se ha guindao,
desengañao de amor,
un hombre que se ha guindao,
desengañao de amor.

Ya se acaba el primer premio
(un, dos, tres),
sólo quedan dos quinticos
(para usted).
El carnerito, los bagres
y un buen lomito de res:
el carnicero en su burro
gritando de cuando en vez.

Caminando por las calles
rumbo a la Plaza Baralt
un carbonero se empeña
en que le deben comprar:
el carbón de azaharito,
el mejor para planchar,
le apuesto a que a cinco reales
nadie se lo puede dar,

le apuesto a que a cinco reales
nadie se lo puede dar.

Cómo que no vais, muñeco,
(a limpiar)
te los dejo muy brillantes,
(por un real)
tengo pomo, crema negra
y un marrón que es especial,
soy el mejor limpiabotas
que hay en la Plaza Baralt.
(Bis)

Madrugada en el mar

Ya viene la madrugada
se levanta el pescador (Bis)
a preparar su curiara
antes que le salga el sol. (Bis)

Acomoda los anzuelos
después coge el canalete (Bis)
y contempla ya en el cielo
que la luna ya se mete. (Bis)

Sale rompiendo las olas
y contempla las estrellas
pensando en su madre bella
que ha dejado en tierra sola
y no deja de pensar
en su esposa y en sus hijos,
dejando los ojos fijos
en la belleza del mar.

Mar y llano
(Corrío)
Demetrio Navas y
Ramón Sanoja Medina

¿Quién dijo que el mar
no es llano, ay, no es llano?
donde se canta la copla
el viento sopla y resopla
con su guitarra en la mano.
El llanero es tan hermano
de la goleta apurada
que escucha en la madrugada
el susurrar de la ola
como sonar de chipola,
como mugir de vacada.

En la sabana tan dura
apura el potro su paso,
el sol está en el ocaso
haciendo mar la llanura.
Sopla el viento por la amura
con su cantar de soisola,
el mesana es palmasola
de la llanura salada
donde llega enamorada
del horizonte la ola.

Llega corriendo el llanero
para cantar su pasaje,
el mar haciéndose encaje
llega a la orilla primero,
detrás viene un marinero
a conocer la laguna

donde se peina la luna
sus blancos rizos de plata
y la soisola relata
sus penas una por una.

Cuatro y timón en la mano,
el llanero y el marino,
van por el mismo camino
cabalgando por el llano
como dos buenos hermanos
enamorando mozuelas,
bebiendo leche en cazuela,
sacando pargos del fondo,
van por eso muy orondos
cantándole a Venezuela.

Mare-mare (1)
(Diversión oriental)
Folklore

Coren coren coren
coren corerá
tres pasos pa'lante
y tres para atrás.

Mare-mare se murió
en el cerro 'e Pana-Pana
y los indios lo enterraron
allá arriba en la sabana.

La muerte de Mare-mare
fue una cosa dolorosa
por los cielos se escucharon
los lamentos de su esposa.

Mariquita se llamaba
la mujer de Mare-mare
indio viejo que mandó
muchos pueblos y lugares.

El cuerpo de Mare-mare
se lo llevan a enterrá
por el aire va volando
una inmensa zamurá.

Mare-mare (2)
(Diversión oriental)
Folklore

Mare-mare de los indios
no se puede comprender,
(Bis)
el que lo baila, lo baila
y el que no, lo ha de aprender.
(Bis)

Mare-mare se murió
en el camino 'e Angostura,
(Bis)
yo no lo vide morir,
pero vi la sepultura. (Bis)

Mare-mare se murió
en el camino 'e Valencia,
(Bis)
yo no lo vide morir
pero vi la pestilencia. (Bis)

Cuando murió Mare-mare

los indios bailaron tura, (Bis)
y después que lo bailaron
les pegó la calentura. (Bis)

De Mare-mare encontraron
solamente los huesitos, (Bis)
y los indios los llevaron
a enterrar en su ranchito.
(Bis)

Médanos de Coro

Médanos de Coro
de original belleza
lindos rizos de oro
cargados de nobleza.

Médanos de Coro
desierto en miniatura
únicos en América
cují, cardón y tuna.

Médanos de Coro
ciudad de leyenda,
tus mortales hijos
nos diste como ofrenda.

Coro ciudad antigua
tan hidalga y bella
primera ciudad
como fue Marcella.

Ciudad de los médanos
de agradable brisa

fue aquí en tierra firme
la primera misa.

Fue tu capital
primer Obispado,
donde el tricolor
fue primero izado.

Mi banana
(Diversión central)
Juan A. Díaz

Aé, aé mi banana
aé, mi banana, aé.

Vengo de Puerto Cabello
por eso me gusta el mar
me levantaré temprano
por si quieres navegar.

Aé, aé mi banana...

Corazón de palo seco
si no quieres que te quiera
corazón de caña dulce
en mis brazos te durmiera.

Aé, aé mi banana...

Cómo se mueven sin viento
los veleros en el mar
cómo quieres que te quiera
si no te dejas besar.

Aé, aé mi banana...

Quiero llevarte conmigo
corazón de palo santo
ya me estoy volviendo loco
por quererte tanto y tanto.

Aé, aé mi banana...

Y con ésta me despido
siempre contento y dichoso
si no me quieres, te olvido
porque no soy caprichoso.

Mi propio yo
Chelique Sarabia

En todas mis canciones te
recuerdo
y siempre en mi soñar estás
presente
y un dejo de tristeza me
acompaña
sintiendo que es tal vez mi
propia muerte.

Soy triste sin saber por qué
motivo,
de niño la tristeza fue mi
signo;
por una de esas muecas del
destino
jamás pude reír como otra
gente.

Tal vez mi propio yo nunca
fue triste;
son sólo circunstancias
imprevistas
que amargan a su antojo la
conciencia
y nunca pude ser como tú
fuiste.

Por eso mis canciones son tan
tristes;
tú misma me lo has dicho sin
cesar
quisiera sonreír como tú dices
y no con esta mueca de pesar.

Tal vez mi propio yo viva
contento;
será por la costumbre de
llorar;
perdóname estas cosas que te
cuento
que son mi propio yo, mi
propio mal.

Moliendo café

(Ritmo Orquídea)
Hugo Blanco

Cuando la tarde languidece
renacen las sombras
y en la quietud de los
cafetales
vuelven a sentir

esa canción de amor
de la vieja molienda
que en el letargo de la noche
parece decir:

Una pena de amor, una
tristeza
lleva el zambo Manuel en su
amargura
pasa incansable la noche
moliendo café. (Bis)

No te muerdas los labios

Chelique Sarabia

No te muerdas los labios,
se te nota intranquila;
quieres decirme algo
y sé que no has podido.
No te muerdas los labios
y dime cuanto quieras,
pero dilo tan quedo
que apenas pueda oírlo.

No debiera quererte,
pero es como un martirio
sentir que no me besas
cuando sueño contigo,
y me tiemblan las manos
y me quema la fiebre
y despierto muy triste
porque no estás conmigo.
Y me tiemblan los labios

145

y el deseo es más fuerte,
del pecho se me escapa
el temor de quererte.

No te muerdas...

Noche de luna coriana

Noche de luna coriana
noche de gran esplendor
en que la brisa serrana
entrega al mar su canción.

Noche de noche de luna
en los médanos de Coro,
donde las huellas se borran
y se forman rizos de oro.

Peregrina de los cielos
de plata y algodón,
la luna a los amantes
les da su inspiración,
que noche más hermosa;
es la noche coriana
que espera entre luciérnagas
la luz de la mañana.

Nostalgia andina
César Prato

Con tus calles que van
subiendo al cielo
para poder tocar las nubes con
la mano,

yo quisiera volcar en ti mi
amor
y mi destino,
poder adivinar mi sombra
en tus caminos. (Bis)

Calles de mi niñez, calles
tranquilas,
que empinándose van detrás
de la neblina,
al correr la mirada se mecen
las montañas
en la cortina gris de la colina.

Calles de mi niñez, calles
tranquilas,
he descubierto aquí toda mi
vida.

Cómo poder volver
a ser de ti en tu pensamiento,
y volver a tener
el sueño azul de aquellos
tiempos.

Ojitos lindos
J. A. Sánchez Azopardo

Ojitos lindos,
carita de muñeca,
manitas de juguete,
sonrisa de cristal,
qué lindo sueño
me brinda tu recuerdo,

bañado por las notas
de un suave madrigal.

Cosita linda, pequeña y
pensativa,
florecita preciada de Falcón,
son tan lindas tus manos y tu
boca
que hacen tuyo mi triste
corazón.

Si tú supieras, cosa rica,
cómo yo te quiero,
no me negaras tu cariño,
ni un minuto más;
si tú supieras, cosa rica,
cómo yo te adoro,
no me negaras tu cariño
ni un minuto más
y me dieras los besos de tu
boca,
beso a beso y con límpida
pasión,
y me dieras los besos de tu
boca,
beso a beso y con límpida
pasión.

Paisaje

José María Bravo

La luna cae en las aguas
dormidas,
la noche está serena de

quietud
y un titilar de estrellas en el
cielo
bordando va la inmensa
oscuridad. (Bis)

Bello paisaje tropical de
arena,
playa, palmeras, cielo y mar,
romance que invita a soñar
al mágico embeleso del amor.
Qué bonita está la noche
a la hora de la pleamar.

Y como un disco de cristal
la luna baña con su luz el
mar,
blanqueando el horizonte
azul,
tejiendo con su espuma un
manto gris.
Y una barca a lo lejos se ve,
que meciéndose al viento se
va.

Por el camino

(Copla llanera)
José Reyna

Por el camino pelao se oye la
voz del llanero,
ladran los perros y se oye el
bramar del becerro.
Oye los gallos cantando en la

147

fría madrugada,
oye el murmullo del agua allá
en la quebrada.

Ay, mi negra, caramba, te
estoy mirando de aquí
y una rosa encarnada que es
para mí.
No relinches, mi negra, que
mi cariño es pa' ti,
te he querido, mi negra, lejos
de aquí.

Con la brisa, mi negra, va mi
canción
y un pedazo, mi zamba, de
corazón.
En la soga enlazado todo mi
amor
y el cariño sincero de un
trovador.

Con tu amor y el bramar de la
fiera al sol,
soy feliz y tenaz, y tengo
valor.

Mira la nube de polvo por el
camino pelao,
es la trota en manada que deja
el ganao.
Anda, muchacho, corriendo,
abre la puerta 'el tranquero
que desde aquí estoy mirando
la hacienda 'e Don Pedro.

Por el camino real

Juan V. Torrealba

Cantando por el camino real
pasó,
cantando, sin verme ni
decirme adiós,
dulcita el agua de su voz
y al cantar así, yo me
enamoré
desde que la vi.

Cantando por el camino real
pasó,
alegre y pura en el cantar la
voz;
divina su hermosa morenez
tras ella me fui, le pedí su
amor
y me quiso al fin.

El caño azul la vio
cantando junto a mí,
bonita como un sol,
un sol de abril.

Después, yo la dejé
a orillas del palmar
y cuando se me fue
la quise más.

Pregón de las flores
(Pregón)
Rafael Salazar

Ya yo me voy con las flores
antes de que estén marchitas
las llevo de las mejores
pa' las muchachas bonitas.

Llevo rosas, llevo rosas
para las mozas.

Margaritas, margaritas
pa' las bonitas.
Ya yo me voy con las flores
amarillas, rosaditas,
de viejos ríos cantores
cortadas de la orillita.

Llevo rosas, llevo rosas
para las mozas.

Amapolas, amapolas
para las solas.
Ya yo me voy con las flores
antes de que estén marchitas,
las llevo de las mejores
pa' las muchachas bonitas.
Azahares, azahares
quitapesares.

Llevo rosas, llevo rosas
para las mozas.

Provinciana
Enrique Hidalgo

Mi niña provinciana y
candorosa
que me niegas el sol de tu
mirada,
te canto con mi voz
enamorada
la canción más sencilla y más
hermosa. (Bis)

En la ventana florecerás
y me darás tu tímida sonrisa
y otra vez te diré
lo que mi alma improvisa
y otra vez te diré
lo que mi alma improvisa.

Mi niña provinciana y
candorosa,
hoy más bella te vi ruborizada
porque besé tu mano
perfumada,
porque besé tu mano
temblorosa.

Que te vas
Juan V. Torrealba

Ya me voy por el inmenso
azul
de un cielo sin estrellas,
camino del olvido.

Ya me voy, me llevo tu dolor,
tu ingrato desamor
y el corazón herido.

Volver, tal vez no he de
volver,
tendrás otro querer
que robe tu cariño.
Amor, te pido sólo un poco de
amor
que pueda mitigar el dolor
que yo sufro por ti.
Adiós, me voy y nunca más
volveré,
si tú ya no me puedes querer,
adiós, por siempre, adiós.

Recuerdo aquellas horas
felices
que juntos disfrutamos tú y
yo,
con besos y con tiernas
caricias,
vivimos nuestro amor.

Volver, tal vez...

Río Manzanares

(Aire oriental)
José A. López

Río Manzanares
déjame pasar,
que mi madre enferma
me mandó a llamar.

Mi madre es la única estrella
que alumbra mi porvenir,
y si se llega a morir,
al cielo me voy con ella. (Bis)

Río Manzanares...

Ay, Cumaná, quién te viera
y por tus calles pasara
y a San Francisco fuera
a misa de madrugada. (Bis)

Río Manzanares...

Si el Manzanares me diera
su licencia y libertad,
en sus aguas me bañara
cuando la calor me da. (Bis)

Río Manzanares...

Manzanares, Manzanares,
con tus corrientes de arena,
alíviame los pesares,
llévate pronto mis penas.
(Bis)

Río Manzanares...

Qué refrán tan verdadero
que tienen los cumaneses:
Lo que se pierde en el agua,
en el asiento aparece. (Bis)

Romance del caney
Juan V. Torrealba

Luna gentil su imagen reflejó
en el jagüey,
junto al caney hablamos
tiernamente de amor,
bella ilusión en noche
campesina y sensual
y el morichal nos arrulló con
su rumor.

Ella olvidó aquella noche en
el caney
cuando a la orilla del jagüey
me dio su amor. (Bis)

No, amor, no me quites la
vida, mi bien,
no, amor, tú sabes que te
quiero.
Mi dulce amada,¿será que no
sabes querer
o que palabras de mujer no
valen nada?
Mi dulce bien, ¿será que no
sabes de amor
o que te falta corazón para
quererme?

Tierra mojada
Hugo Blanco

Me huele a tierra mojada,
me huele a llanto en el cielo,
me huele a lluvia encantada
cuando se esconde en el
suelo.

Toda la tierra despierta,
los pajaritos se asoman,
y la cosecha se acerca
porque ya siento su aroma;
y la cosecha se acerca
porque ya siento su aroma.

Ay, pero cuánta tristeza
cuando la tierra está seca,
y qué alegría cuando la lluvia
baña mi cara, borra mi
angustia,
y qué alegría, ay, cuando
llueve,
ay, cuando llueve.

Tierra tachirense

Tierra tachirense con tus
montañas y tus riberas,
con tus cafetales en flor,
con tu sinfonía de verdor,
yo quiero cantarle
al mágico hechizo de tus
paisajes,

tierra tachirense
puesto de hinojos te canto yo.

La canción del río que lleva
melodías de espuma,
panoramas de Capacho,
Borotá y su bruma,
las campanas de la ermita,
la Potrera y la Bermeja,
todos son recuerdos
que se anidaron dentro de mí.

El Rubio de tantos puentes
y el café sabroso,
los paseos a San Antonio,
Santa Ana, el Corozo,
el Colón de las Palmeras,
Pregonero y Queniquea,
San Pedro del Río,
la Grita, el Cobre y Lobatera,
Táriba, Palmira
con Seboruco y Michelena.

Y para cantarle
a mi San Cristóbal
tan sólo estos versos,
con toda el alma yo le diré:
Tierra de mis sueños
y mis ilusiones,
en tu Camposanto
cuando yo me muera quedaré.

Tovar

En un fértil valle
donde el sol andino
se distrae jugando
con su tibia luz.
Allá entre montañas
cubiertas de flores
se hizo el milagro
y surgiste tú.

Tovar, reina de la montaña,
Tovar, paraíso de amor.
Tovar, surge de un cuento de
hadas
donde quedó grabada
mi alma de trovador.

Trigales

Tienen tus páramos la
fragancia
y el color sublime de sutiles
nardos
la quietud dormida de gélidas
lagunas
y el lento abanicar de los
trigales.

Trigales, que se mecen
adorando
la majestuosidad de la
nevada,
jugando con el viento y

retozando,
para besar su frente nacarada.

Los cercados de piedra que
amanecen
empapados de nieve
cristalina,
formando lindo encaje que
parece
codiciado collar de perlas
finas.

El encanto que nos brinda la
montaña
con sus picos coronados de
blancura
y la escarcha que baña con
dulzura
la solariega paz de las
cabañas.

Virgen de Margarita

Enclavada frente al mar
frente al mar de Margarita
mar de la Virgen del Valle
mar de la Virgen bonita.

Está la costa Oriental
con crepúsculos de aurora
salpicada por las olas
que bañan a Porlamar.

Hay una Iglesia en Santa Ana
y un castillo en Santa Rosa
donde probó su heroísmo
la mujer venezolana,
un multicolor encanto
la laguna de Arestinga
con su atardecer tranquilo
que se va pintando el cielo
dibujando en el paisaje
sus barquitos y veleros.

Pampatar con su castillo
y el fortín de la Caranta
el mirador de Juan Griego
que en noche de luna encanta.

Su playa, embrujo caribe
madre y cuna de las perlas
mar de la Virgen del Valle
mar de la Virgen bonita.

Indice

Joropos

Pasajes